C'est bon la vie !

DU MÊME AUTEUR

Jules Beaulac

C'est bon la vie!

le service de diffusion catholique de montréal

8265 rue drolet,
montréal, qué. h2p 2h6
(514) 388-1844
Lire du bon, montrer du beau, pour VIVRE.
(Claudette Côté)

C'EST BON LA VIE !

© 1984 Les Éditions le Renouveau Inc.
© 1984 Jules Beaulac

Distributeur: Les Messagers Catholiques de la Bible
                    C.P. 1815, Québec (Québec) G1K 7K7
                    Tél.: (418) 628-3445
Photos: Claude Beauchemin: p. 164. Ellefsen: p. couverture.
             Paul Hamel: p. 18, 66, 88, 126, 194, 216, 242, 270, 296
             et 326.
Impression: Éd. le Renouveau, 880, Carré de Tracy est, C.P. 7127,
                    Charlesbourg (Québec) G1G 5E1

Dépôt légal: Bibliothèque nationale du Québec, 1er trimestre 1984
                    Bibliothèque nationale du Canada, 1er trimestre 1984
ISBN: 2 — 89254 — 002 — X

À toutes les personnes,
heureuses ou malheureuses,
saines ou malades,
qui boivent
à grandes lampées
aux sources de la vie
comme à leur bien le plus précieux.

*Je suis venu
pour qu'ils aient
la vie
et qu'ils l'aient
en abondance.*

Jean 10, 10.

présentations

J'aime la vie

J'aime la vie !
Même la plus humble
comme celle des fourmis
ou celle des petits.
Même la plus humiliée
comme celle des chiens
ou celle des rejetés.

J'aime les vivants !
Ceux qui ne font pas que vivoter
mais qui vivent vraiment.
Ceux qui ne traînent pas leur vie
mais qui l'empoignent à pleines mains.
Mais j'aime aussi
ceux qui ont du mal à vivre
et ceux à qui la vie a fait mal.

J'aime le Vivant !
Celui qui a vaincu la mort
et qui a dit:
"*Je suis la Vie*" (Jean 14,6).
Celui qui est toujours vivant,
qui ne peut plus mourir.
Celui qui veut
nous faire vivre toujours.

Ils me donnent tous
le goût de vivre.
Et ça goûte bon...

La caravane humaine

J'ai connu,
dans ma vie
qui s'étire déjà pas mal,
quelques grands vivants.

Ils n'étaient pas tous célèbres,
loin de là.
Mais, ils avaient tous
assez d'amour dans le coeur
pour en donner
à beaucoup.

Ils n'avaient pas tous un épais portefeuille,
tant s'en faut.
Mais, ils avaient tous
une grande passion dans l'âme
qui donnait du sens
à tout ce qu'ils faisaient.

Ils n'étaient pas tous très instruits,
oh non !
Mais, ils avaient tous développé
une sagesse en leur esprit
qui en faisait
de merveilleux conseillers.

Ils avaient souffert,
souvent même beaucoup:
maladie, échecs, abandons, trahisons.
Mais, jamais,
ils ne s'étaient laissé abattre.
Toujours,
ils avaient rebondi
devant l'épreuve.

Ils avaient compris
depuis longtemps
que donner
est plus agréable que recevoir,
qu'écouter
est plus intéressant que parler,
qu'admirer
est plus utile que condamner.

Ils avaient découvert
que l'intelligence sans le coeur
est bien malcommode,
et que le coeur sans les mains
ne vaut guère mieux.

Ils avaient trouvé aussi,
souvent péniblement,
que la vraie vie
ne se vit pas tout seul.
Il y a les autres,
sur qui on peut s'appuyer.

Ils avaient tous gardé
un sens de l'émerveillement peu commun.
Capables de se pâmer
devant une rose fraîchement éclose
autant que devant le sourire d'un enfant
ou les mains ridées d'un vieillard.

Ils étaient ardents à l'ouvrage,
et fervents pour l'amour.
Ils avaient la force des départs
et le courage des recommencements.
Ils avaient du coeur au ventre
et aussi plein les mains.

Il émanait de leur personne
une sorte de magnétisme
qui donnait le goût
de faire un bout de chemin avec eux.
Leur seule présence inspirait confiance.
Ils dégageaient beaucoup d'amour.
On était bien avec eux.

À les voir,
on avait le sentiment d'être meilleur.
À côté d'eux
on avait envie de grandir.
Ils avaient du feu
dans les yeux et dans le coeur.

Et certains,
au cours du voyage,
avaient rencontré Dieu
qui avait éclairé leurs pas,
guéri leurs blessures
et réchauffé leurs froidures.

Bref,
ils avaient le goût de vivre
et ils donnaient le goût de vivre.

Mais,
j'en ai connu d'autres,
qui avaient perdu
ce goût de vivre
et qui traînaient à pas lents
une vie lourde de misères.
Grands blessés,

oubliés, déprimés,
angoissés, perdus.

Ce n'était pas toujours
de leur faute.
Ils ont excité en moi
la pitié,
la compassion,
puis l'amour.
Je leur ai voué
une bonne partie de ma vie.
Ils sont devenus
des maîtres pour moi
et je compte parmi eux
quelques-uns de mes meilleurs amis.

Et, il faut le dire,
j'en ai connu enfin
qui enlevaient aux autres
le goût de vivre,
qui utilisaient les gens
plutôt que de les aimer.
Mesquins, égoïstes,
ambitieux, hypocrites,
veules, jaloux,
profiteurs, exploiteurs.

Eux aussi
n'étaient pas toujours coupables.
Ils m'ont souvent donné
l'envie de vomir
quand ils croisaient ma route.
Peu à peu cependant,
ils m'ont appris
la compréhension, la bonté
et surtout le pardon.

*   *   *

Dans la caravane humaine,
il y a toutes sortes de marcheurs.
Des leaders et des suiveux,
des infatigables et des fatigués,
des joyeux et des tristes,
des bons vivants et des agressifs,
des grands, des moyens, des petits,
des fins et des pas-fins,
des forts et des faibles...

Les uns courent,
d'autres s'essoufflent à rien,
d'autres s'asseoient sur le bord de la route,
d'autres encore rebroussent chemin.

Mais, tous sont portés ou emportés
par cette marée humaine.
Tous, même sans le savoir,
sont avides d'amour,
sont assoiffés de vie.
Ils veulent VIVRE.
Ils portent en eux,
comme leur trésor le plus précieux,
cet acharnement à vouloir vivre.
Qui leur a rivé au coeur
ce goût de vivre,
dites-le moi ?
Je ne serais pas surpris que ce soit
Celui qui est la Vie,
Celui qui a brisé
les chaînes de toutes nos morts
afin que nous puissions
VIVRE TOUJOURS !

À TOI,
AMI LECTEUR

Tu trouveras dans ce livre
toutes espèces de gens,
plongés dans toutes sortes de situations.

Ils essaient,
tant bien que mal,
de trouver un sens
à ce qu'ils vivent.
L'écheveau de leur vie
est souvent mêlé.
Ils cherchent tous à leur manière
à grandir.
Ils cherchent tous obstinément
à être de grands vivants.

Tu y reconnaîtras sans doute
des personnes
qui ressemblent à des connaissances.
Tu t'y reconnaîtras peut-être toi-même.
Mais, au fond,
ce n'est pas cela
qui est le plus important.
Mais bien
que tu y découvres ou y retrouves
ce goût de vivre
qui nous vient tout droit
de Dieu
et qui nous y conduit
tout aussi droit.

Bonne lecture !

J'aurais beau parler
toutes les langues,
celles des hommes
et celles des anges,
si je n'ai pas
l'amour,
je ne suis qu'un
métal qui résonne,
une cymbale
qui retentit.

J'aurais beau avoir
le don de prophétie,
connaître
tous les mystères
et posséder toute
la science,
j'aurais beau avoir
la foi la plus puissante,
capable même
de déplacer
les montagnes,
si je n'ai pas
l'amour,
je ne suis rien.

J'aurais beau donner
tous mes biens
aux pauvres,
livrer mon corps
aux flammes,
si je n'ai pas
l'amour,
cela ne me sert
à rien.

1 Corinthiens 13, 1-3.

aimer

Il n'existe pas
de sujet
dont l'importance
puisse se comparer
à celle de l'amour.

Jack Dominian

Je t'aime

Viens,
ma bien-aimée,
viens,
ma toute belle.

Cantique 2, 13.

Viens, mon bien-aimé,
viens,
je vais te faire
le don de mes amours.

Cantique 7, 12. 13.

Il ne faut pas avoir
peur d'aimer
et de dire aux gens
qu'on les aime.
C'est le plus grand
des ressourcements
personnels.

Jean Vanier

Je voudrais t'écrire un beau poème
pour te dire
de toutes les manières:
"Je t'aime."

Mais, voilà,
je ne sais pas composer les rimes
qui sonnent bien
et je ne sais pas aligner les mots
qui font beau.
Je ne sais pas
traduire en belles phrases
les sentiments qui habitent mon coeur.

Mais, je veux quand même te dire
qu'il fait bon
quand tu es près de moi,
et que le temps passe vite et bien
à penser à toi.
Ton absence est un supplice
mais un supplice bien doux
à la pensée que tu vas bientôt venir
et qu'à nouveau
nous serons réunis.
Quand tu me quittes,
déjà je veux te revoir;
et, quand tu viens le soir,
le temps passe toujours trop vite.

Je t'aime,
te le dirai-je assez ?
Je t'aime,
tu me fais vivre.
Je t'aime
ne me quitte pas.
Avec toi,
la vie a si bon goût...

Seigneur,
toi qui n'es qu'amour,
tu comprends mieux que personne
ce qui se passe
entre deux êtres qui s'aiment.
Sois présent à notre amour,
bénis-le,
fais-le grandir.
Et garde-nous
tout près de ton coeur.

Amen.

La thérapie de l'amour

Nous devons,
nous aussi,
donner notre vie
pour nos frères...

Si quelqu'un voit
son frère
dans le besoin et
qu'il ne compatit pas
à sa souffrance
comment l'amour
de Dieu
pourrait-il demeurer
en lui ?

Mes petits enfants,
n'aimons pas
seulement en paroles
et du bout
de la langue,
aimons en actes
et en vérité.

1 Jean 3, 16-18.

Chacun de nous
naît avec
de nombreuses
possibilités.
Mais,
à moins que
la chaleur de
l'acceptation
d'un autre
ne les éveille,
elles resteront
en sommeil.

Pierre Van Breemen

Lucie était terriblement agressive,
révoltée contre tout et tous,
surtout contre elle-même.
Des coups de pied sur les meubles,
des coups de poings sur les personnes.
Recroquevillée,
soupçonneuse,
inquiète.

Pierre l'aima pour elle-même,
simplement, gratuitement,
sans chercher de retour.
Il l'a littéralement ressuscitée.

Elle est redevenue
calme, sereine, tranquille,
confiante en elle et en la vie.
Désormais, elle sait
qu'elle a du prix pour quelqu'un
et cela remplit sa vie.

Roland est handicapé au plan mental
mais il l'est encore plus au plan affectif.
Quand il est arrivé au foyer,
c'était une véritable épave humaine:
il était en guenilles et tout sale.
Et on ne parvint jamais à retracer
ni son père ni sa mère.

Pierre décida
qu'il partagerait sa chambre
avec lui:
tous les soirs,
avant de s'endormir,
Pierre écoute le mystérieux langage de Roland.

Il ne comprend pas tout,
mais Roland a vite senti
qu'il était accueilli et écouté.
Pour la première fois depuis longtemps,
Roland voit quelqu'un s'occuper de lui,
s'intéresser à lui, l'aimer quoi !

Et Roland se transforme à vue d'oeil.
Il donne des tapes dans le dos de Pierre:
c'est sa manière à lui
de lui dire merci,
de lui dire: "Je t'aime."
Il a appris à rire
et Pierre se dit:
"Comme c'est bon de rire dans la vie ! "

Elle est sourde, muette
et presque aveugle.
Recueillie dans le cimetière,
toute nue,
abandonnée par sa mère.
Elle n'avait que quatre ans.
On l'appela Marie.
Elle communique avec le monde extérieur
par le toucher et l'odorat.

Pierre la prend fréquemment dans ses bras,
la serre contre lui,
l'embrasse sur la joue, le front, les lèvres.
Il la berce doucement dans sa grande chaise.
Et Marie promène sa petite main
sur la main de Pierre,
sur sa bouche, sur son nez, sur ses yeux.
C'est sa manière à elle de lui dire merci
de l'avoir non seulement sortie de la misère de la rue
mais surtout de l'avoir aimée.

Marie, on le voit à divers signes,
émerge de plus en plus de son monde intérieur
pour communiquer avec les autres.
L'amour de Pierre est en train
de la faire vivre, elle aussi.

Mathieu a seize ans,
et pas de famille apparemment.
Son milieu de vie:
la rue,
jour et nuit.
Ses activités sont nombreuses:
vol à l'étalage, raccolage, "couraillage".
Il mange et dort quand il peut;
il n'a, semble-t-il, jamais connu rien d'autre.
C'est un orphelin de la misère,
un brigand de la pauvreté.

Au foyer,
à sa grande surprise,
personne ne lui a crié de bêtises
et on ne lui a pas donné de coups de poing.
On lui a fourni de la nourriture et des vêtements
qu'il n'a pas été obligé de voler.
Bien plus, Pierre lui sourit,
lui dit bonjour et lui serre la main,
chaque fois qu'il le rencontre,
comme à une vraie personne !
Mathieu n'en revient pas:
il est devenu quelqu'un pour quelqu'un,
lui qu'on a toujours repoussé du pied
comme un déchet, comme un embarras.

Et voilà que Mathieu-le-dur change:
il rend les sourires,
il travaille un peu,

il s'adoucit de plus en plus !
Sa vraie nature, tendre et aimante,
commence à faire surface !
Tout cela grâce au miracle de l'amour !

*   *   *

Qui parmi nous
n'a pas besoin d'amour ? de tendresse ?
Il nous en faut pour nous épanouir
autant qu'il faut de soleil à la fleur pour grandir !
Les vies tristes, ratatinées, flétries
ont-elles poussé au soleil de l'amour ?
Hélas non !

Il y a toutes sortes de thérapies
pour "soigner"
les déprimés,
les angoissés,
les persécutés, les aliénés.
Il y a les tranquilisants ou les excitants,
il y a l'alcool, la drogue,
il y a le jeu, le sexe,
il y a la non-directivité, le conditionnement, etc.

Mais, pour ma part,
pour l'avoir vue tant de fois à l'oeuvre,
sous mon regard émerveillé,
je n'en connais pas de meilleure
qu'un amour vrai, sincère, gratuit, tendre,
donné généreusement et joyeusement.
Seule, cette thérapie
est capable de redonner le goût de vivre
et à celui qui est aimé
et à celui qui aime.

Nous n'avons qu'une vie...
Dépêchons-nous donc d'aimer !

Seigneur,
toi qui nous as aimés
jusqu'à en mourir,
rends-nous capables du même amour.
Fais que nous cherchions
moins à être aimés
qu'à aimer
du fond du coeur,
avec tendresse,
tous ceux que tu mets
sur notre route.

Amen.

Et l'amour... ?

*Je vous donne
une loi nouvelle:
aimez-vous
les uns les autres.*

Jean 13, 34.

L'argent
rend sourd
aux appels.

André Sève

Il lui donne tout ce qu'elle veut
et même plus.
Il lui a payé
les appareils ménagers les plus nouveaux.
Il l'a abonnée à la Lotomatique.
Elle a son manteau de vison,
elle fait trois grands voyages par année
en plus de sa Floride
à chaque mois de novembre.
Bref, il ne lui manque rien.

Et pourtant,
elle n'est pas heureuse.
La raison en est bien simple.
Son mari n'est jamais à la maison.
C'est un homme d'affaires
intéressé à faire beaucoup d'argent.
Quand il est avec sa femme,
c'est dans les réceptions sociales
où elle l'accompagne
comme la chevalière qu'il porte au doigt.
C'est un objet pour lui,
ce n'est pas une personne à aimer.

Même s'il la gâte
jusqu'à l'os
en cadeaux de toutes sortes,
elle sait fort bien
qu'il est marié avec l'argent,
qu'elle n'est qu'un rouage de plus
dans ses affaires.

Il ne l'aime pas,
il l'utilise.
Il s'est imaginé
qu'en lui donnant tout
elle se passerait de lui.

Il n'a rien compris
à l'amour.

Elle veut être aimée pour elle-même.
Ce qui l'intéresse,
c'est lui
et non pas les cadeaux
dont il l'inonde.

Et l'amour s'en va...

Hélas !

Antoine

Il n'est pas
nécessaire
d'avoir fait
des études
ou d'être
psychologue
pour aller vers
les autres
ou les accueillir.
Il suffit
d'un peu de
bon sens,
avec des yeux
pour voir
et un coeur
pour aimer.

Jacques Leclercq

*Paissez le troupeau
de Dieu
qui vous est confié.
Veillez sur lui,
non par contrainte,
mais de bon gré,
selon Dieu;
non pour en retirer
de l'argent
mais avec l'élan
du coeur;
non en agissant
en seigneurs
vis-à-vis ceux que
Dieu vous a donnés
mais en devenant les
modèles du troupeau.*

1 Pierre 5, 2-3.

Il n'avait rien à lui
parce qu'il donnait tout.
Sa maison était toujours ouverte:
il accueillait tous ceux qui avaient besoin de gîte.
Son portefeuille avait toujours assez d'argent
pour en donner aux plus pauvres que lui.
Il avait toujours dans ses poches quelques bonbons
pour les enfants qui en voulaient.
À sa table, il y avait chaque jour
quelques confrères de passage dans la ville,
sûrs de trouver chez lui
bon coeur et bonne nourriture.
Quant il allait au marché,
il achetait des fleurs
qu'il donnait aux femmes de sa paroisse.
Les gens savaient qu'il ne gardait rien pour lui;
c'est pourquoi ils lui donnaient abondamment:
gâteaux, fruits, légumes, meubles, etc.
et, lui, il redistribuait le tout aux pauvres.
Il avait toujours du temps
pour écouter,
avec beaucoup de patience et d'intérêt,
tous ceux qui avaient besoin d'être écoutés,
et il savait leur donner le conseil qu'il fallait.

Ce n'était pas un savant,
ni un diplômé des grandes universités !
Ses sermons étaient plus qu'ordinaires:
il répétait toujours, sur tous les tons,
qu'il fallait s'aimer, se pardonner,
s'entendre et prier,
rien d'autre.
Il disait son bréviaire
en marchant sur la galerie du presbytère
et, quand il n'était pas occupé à recevoir quelqu'un,
on le voyait toujours

assis dans sa grande berceuse
à dire son chapelet,
la prière des pauvres.
Le soir, il se promenait
dans les rues de sa paroisse:
il parlait avec ses paroissiens
sur le seuil de leur porte,
dans les allées de leur jardin,
ou dans la cuisine de leur maison.

C'était un simple prêtre,
un homme bien ordinaire !

Il n'avait pas de planification pastorale
pour sa paroisse,
sinon celle de la charité, du dévouement et de la prière.
Mais,
quand il célébrait la messe,
on aurait dit qu'il entrait dans un autre monde:
il conversait amoureusement avec son Dieu
qu'il contemplait sur l'autel.
Il était le champion confesseur de la ville:
le pardon de Dieu coulait à travers son coeur
comme d'une source pure.
Il avait une dévotion particulière
à la Vierge Marie,
dévotion qu'il avait su communiquer
à ses paroissiens.
Comme par magie,
sa paroisse avait aussi le championnat
des vocations sacerdotales et religieuses.
Sa confiance en la "divine Providence",
comme il disait,
était sans limite:
Dieu était au coeur de tout ce qui arrivait,
pour nous témoigner son amour
et nous inspirer sa confiance.

C'était un curé
sans cérémonie et sans prétentions.

Il n'avait pas le fini et le brillant
de certains de ses confrères.
Il se faisait la barbe "par coeur"
et oubliait çà et là
quelques touffes de poils
ce qui n'ajoutait pas à son apparence !
On pouvait souvent lire sur sa soutane
ce qu'il avait mangé au repas précédent
et ses souliers ne reluisaient pas toujours,
loin de là !
Mais, il avait dans les yeux,
la douceur et la tendresse de Dieu même !
Et personne ne s'y trompait.

Un jour,
comme tout le monde,
il mourut.
Comme il était beau,
comme il était grand
dans sa tombe !
Rasé comme il ne l'avait jamais été de son vivant,
des souliers neufs comme on ne lui en avait jamais vus,
un chapelet noué entre ses doigts
comme on l'avait vu si souvent,
les mains posées calmement
sur son coeur de prêtre.
Des gens vinrent par milliers
le saluer, le prier, le vénérer.
Des gens de partout,
bien au-delà des limites de la paroisse.
C'est là qu'on vit le rayonnement spirituel
de cet homme de Dieu.

Sa dépouille se couvrit rapidement
de billets de papiers,
déposés par les gens
qui lui demandaient déjà des faveurs
comme à un saint.

Il est mort depuis des années;
mais, si vous vous promenez dans la paroisse,
demandez aux gens
s'ils se souviennent du curé Antoine.
Ils vous diront, des larmes dans les yeux:
"Nous ne l'oublierons jamais;
il était bon pour nous et nos enfants;
c'était un saint prêtre
comme il ne s'en fait plus ! "
Antoine n'était pas un homme ordinaire !
Il avait un coeur d'or
accordé au coeur même de Dieu,
plein de piété,
plein d'amour !
Antoine était un homme de Dieu !

Seigneur,
donne à ton Église et à notre monde
des prêtres de la trempe d'Antoine;
nous avons besoin de Te sentir
à travers eux.
Qu'ils soient bons,
              accueillants,
              écoutants,
              priants,
              doux et simples
pour tous mais surtout pour les plus pauvres !
Qu'ils passent leur vie
    à faire le bien,
    sans bruit,
    sans éclat,
    sans prétention,
    mais avec joie,
        avec paix
        avec amour.

Amen.

Claude

Jésus,
qui était
de condition divine,
ne retint pas
jalousement
le rang qui l'égalait
à Dieu.
Mais, il s'anéantit
lui-même:
il prit la condition
de serviteur
devenant semblable
aux hommes...
Aussi, Dieu l'a-t-il
exalté
en lui donnant
le Nom
qui est au-dessus
de tout nom.

Philippiens 2, 6-9.

Je ne m'apitoie pas
sur les blessés.
Je deviens moi-même
blessé.

Whitman

La pauvreté !
Il avait lu des tas de livres sur le sujet.
Il en avait même écrits !
Il avait prononcé de nombreuses causeries
devant les riches !
Bref, il était très au fait
sur la pauvreté !
À sa manière,
il luttait contre elle;
mais il habitait une maison confortable
et son compte en banque était florissant !

Il décida un jour d'aller voir la pauvreté
à travers le monde:
il visita les bidonvilles d'Amérique latine,
il rencontra les petits pauvres d'Haïti,
il se butta aux indiens qui dormaient sur le trottoir,
il vit les lépreux du Cameroun,
etc., etc.
Ce qu'il vit,
ce n'était pas la pauvreté,
c'était des pauvres,
des personnes humaines,
comme vous et moi,
comme lui.

Et quand il vit
des coopérants honnêtes et généreux,
des missionnaires,
qui non seulement donnaient leur vie
pour les pauvres,
mais partageaient leur mode de vie,
il en fut estomaqué !

Alors, il se mit à comprendre:
Le Père Damien qui devient lépreux

avec les lépreux de Molokai,
le tuberculeux Bethune qui soigne
les tuberculeux de Montréal,
Jean Vanier qui se fait handicapé
au milieu des handicapés de l'Arche...

Pour aider les pauvres,
il ne suffit pas
de parler d'eux,
d'écrire sur eux,
de s'apitoyer sur eux,
il faut les aimer
au point de devenir comme eux,
au point de devenir l'un d'eux !

Aujourd'hui,
il est en Inde;
il travaille avec Mère Teresa à Calcutta:
vingt-quatre heures par jour,
douze mois par année,
il est avec eux,
qui ne le quittent pas d'une semelle.
Il partage sa modeste chambre
avec l'un d'eux qui est épileptique.

Et il est heureux comme ce n'est pas possible !
La paix, la joie règnent dans son coeur !
Dieu achève d'embraser cette âme de feu !
Et sa gloire éclate
une fois de plus !

Vous tous qui avez soif,
venez vers l'eau.
Même si vous n'avez pas d'argent,
venez.
Demandez du blé et mangez,
sans argent, sans payer.
Demandez du lait et du vin
et buvez.

Isaïe 55. 1.

L'étranger

*J'étais un étranger
et vous m'avez
accueilli.*

Matthieu 25, 35.

*Ne ferme jamais
ta porte
à l'étranger,
car tu risques
de la fermer
sur l'ange
du Seigneur*

(Inspiré de Hébreux 13, 2.)

*Dieu ne met
personne
de côté.*

Galates 2, 6.

*Notre Père
juge chacun
selon ses oeuvres.*

1 Pierre 1, 17.

*Les prostituées
vous précèdent
dans le Royaume.*

Matthieu 21, 31.

L'amour exige
que nous abordions
l'autre personne
sur la base d'une
totale amitié.

Jack Dominian

Il arrivait on ne sait d'où;
lui-même ne le savait plus trop.
Il avait dû marcher
longtemps et longuement,
à en juger
par son oeil presque fixe,
par ses lèvres sèches
et par sa barbe de plusieurs jours.
Ses vêtements étaient noirs de poussière
et sa peau était encore plus sale.
Il ne marchait pas,
il titubait.
Il ne payait pas d'apparence.
Il savait, lui, et lui seul,
la brûlure qui lui tordait l'estomac,
tellement il avait faim...
les crampes qu'il avait dans les mollets,
tellement il avait marché...
la douleur qui lui fendait la tête,
tellement le soleil avait tapé dessus.
Il n'avait pas dormi depuis des nuits,
il avait à peine mangé,
un peu bu.
Et maintenant, il entrait dans la ville
en souhaitant trouver
un coeur compatissant.

Il entra chez un fruitier
et demanda la charité
d'une pomme ou d'une orange.
— Avez-vous de l'argent ?
— Non, monsieur, mais j'ai faim à mourir !
— Pas d'argent, pas de fruits !
Ici, on ne fait pas de crédit.
Allez vous faire nourrir ailleurs.

Il frappa à la porte d'une maison privée:
la propriétaire,
en voyant cette espèce de clochard,
n'ouvrit jamais
ni sa porte
ni son coeur...

Le soir tombait en même temps que son espoir.
De guerre lasse,
il alla sonner au bureau du presbytère...
plusieurs fois.
Finalement,
une femme ouvrit prudemment la porte
et, sans le laisser placer un mot, lui dit:
"Je regrette, monsieur,
nous ne recevons plus personne;
l'heure du bureau est passée;
si vous voulez quelque chose,
revenez demain
aux heures indiquées sur l'écriteau."
Il n'eut pas le temps de répondre
que la porte était déjà refermée.
"Se peut-il que la charité soit programmée ? "
se dit-il intérieurement.

Juste à côté du presbytère,
il vit une coquette maison
et une bonne vieille dame
qui se berçait tranquillement sur la galerie.
— Madame, auriez-vous quelque chose à me donner
pour manger
et un petit coin dans votre maison
pour dormir ?
Il n'avait pas terminé sa demande
que déjà elle l'avait foudroyé du regard.
— Sachez, monsieur, que je ne fais pas la charité

à des gens de votre espèce !
Allez donc vous laver
Et puis, travaillez donc
comme tout le monde !
À part ça, j'ai déjà mes bonnes oeuvres
et mes pauvres.
Je suis une femme correcte, moi
et une bonne chrétienne !
Il comprit que là non plus il n'aurait rien
mais il se demandait aussi
quelle sorte de chrétiens
on fabriquait dans ce pays...

Il reprit sa route en traînant les pieds:
il était fatigué et... écoeuré !
N'y aurait-il personne sur cette terre
pour lui donner gîte et couvert ?
Il avançait lentement
en écoutant son coeur pleurer,
lorsque soudain
il s'entendit interpeller:
"Hé ! toi là-bas !
Ce que tu fais pitié à voir !
on dirait que t'as marché
tout le tour de la terre,
sans manger,
sans te laver,
sans te reposer !
Entre un peu
et laisse voir ! "
Il n'en croyait pas ses oreilles;
l'espoir lui revint;
et, levant les yeux, il regarda
celle qui l'avait apostrophé.
Dieu ! qui pouvait-elle être ?
Et que faisait-elle dans la vie ?

des cheveux noirs frisés comme un mouton,
de la poudre, du fard, du mascara à profusion,
des lèvres abondamment "rougies",
une blouse largement décolletée,
une mini-mini-jupe !
Il comprit qu'il avait affaire
à la "Madeleine" du village,
qui pratiquait le plus vieux métier du monde.
Sans trop s'en rendre compte,
il se trouva à table,
devant une soupe et un steak.
Comme il faisait bon manger après si longtemps !
Ensuite, il s'aperçut qu'il avait dans les mains
une serviette et un savon
et que l'eau tiède coulait déjà
dans la baignoire.
Ah ! que c'était bon de se sentir net !
Elle lui refila une camisole
qui sortait on ne sait d'où
et l'envoya dormir
après lui avoir donné une tisane.
Il sombra dans un sommeil de plomb.

Pendant qu'il dormait,
la "Madeleine" alluma
sa vingtième cigarette de la journée
et vida son sixième verre.
Mais, en elle, d'étranges pensées
la clouaient de surprise:
"Pauvre homme,
il faisait pitié à voir !
je ne pouvais pas le laisser là !
Il fallait bien que je fasse quelque chose !
Je lui ai donné tout ce que j'avais !
Toi, Jésus, du haut de ton paradis,
où tu sais tout,

46

tu as vu ce que j'ai fait ce soir.
Quand j'arriverai devant toi,
au bout de ma pauvre vie,
j'espère que tu t'en souviendras...
Bien sûr,
je ne vais pas à la messe:
Les dévotes seraient scandalisées !
mes "bonnes oeuvres" ne sont pas dans le catalogue
des "dames patronesses" !
les bien-pensants ne passent pas
devant ma maison,
même si, de temps en temps,
j'en reçois deux ou trois
qui passent par derrière !
Mais, tu sais, au fond,
je t'aime bien, Jésus,
et je sais que tu me comprends,
toi qui t'es fait essuyer les pieds
par une fille comme moi,
Ce soir,
j'ai fait la charité
à un pauvre homme:
je l'ai nourri, lavé, logé, écouté.
Et ben ! bon Jésus,
soit dit sans vouloir t'insulter,
c'est à toi et pour toi
que je l'ai fait."

Elle tira une dernière bouffée de cigarette
et avala une dernière gorgée de son verre.
Et, l'âme en paix,
elle s'endormit du sommeil des justes.
Sa journée avait été bonne !

Un homme descendait de Jérusalem à Jéricho:
il tomba aux mains de bandits
qui le volèrent et le battirent
le laissant à moitié-mort,
au bord de la route.
Un prêtre,
par hasard,
descendait par ce chemin:
il le vit,
mais il prit l'autre côté de la route
et passa à bonne distance.
Pareillement,
un lévite,
survenant en ce lieu,
le vit,
traversa de l'autre côté du chemin
et passa loin.
Mais, un Samaritain,
qui était en voyage, arriva près de lui,
le vit,
et fut touché de compassion.
Il s'approcha,
pansa ses plaies,
y versa de l'huile et du vin.
Puis, il le chargea sur sa propre monture,
le conduisit à l'auberge
et prit soin de lui.
Le lendemain,
il tira deux deniers de sa bourse,
les donna à l'aubergiste:
"Prends soin de lui, lui dit-il,
ce que tu auras dépensé de plus,
c'est moi qui te le paierai
à mon retour."

Et,
Jésus demanda au légiste:
"Lequel de ces trois,
à ton avis,
s'est montré le prochain
de l'homme
tombé aux mains
des brigands ? "
Il répondit:
"Celui qui a pratiqué
la miséricorde
à son égard".
Jésus dit:
"Va,
et toi aussi,
fais de même".

Luc 10, 29-37.

Julien, Julienne et les autres

Que l'amour fraternel
tisse des liens
d'affection
entre vous tous.
Rivalisez d'estime
les uns
pour les autres.

Romains 12, 10.

Dieu ne m'aime pas
pour ce que je suis,
mais je suis
parce que Dieu
m'aime.

Pierre Van Breemen

Julien court tout le temps:
c'est un vrai paquet de nerfs.
Julienne a toujours du temps devant elle:
c'est une montagne de sérénité.
Il parle comme ce n'est pas possible:
c'est un véritable moulin à paroles.
Elle parle quand il le faut, pas plus:
c'est un monastère de silence.
Il se fâche au moins trois fois par jour:
personne ne prend plus ses colères au sérieux.
Elle fait une colère trois fois par année:
mais, ça porte à chaque fois.

Julien est du type
"je-veux-tout-faire-et-tout-de-suite",
Julienne, c'est
"prends-ton-temps-il-faut-vivre-avant-tout".

Et pourtant,
ils s'aiment tous les deux beaucoup.
S'il est vrai que les contraires s'attirent,
ils en sont la preuve bien vivante.
Julien s'appuie sur le calme de Julienne
et Julienne aime bien Julien-la-queue-de-veau.
Il rit de son tempérament flegmatique,
elle s'amuse de sa précipitation.
Ils forment un couple sympathique
malgré les apparences:
lui, maigre et long comme une échalote;
elle, grasse et ronde comme une pomme.
Elle se plaint de ses cors aux pieds
et de ses jambes bien faibles.
Lui se réjouit de son coeur de vingt ans
et de son oeil encore clair.
Elle engraisse à boire
un simple verre d'eau.

Il mange comme quatre
et ne prends pas un gramme de "lard".
Vraiment, ils sont faits l'un pour l'autre.

Et leurs enfants leur ressemblent:
Jules a déjà les rondeurs de sa mère
et le calme de son caractère.
Il a toujours trop de temps
devant lui
et la vie n'est jamais compliquée.
Julie, quant à elle, déplace beaucoup d'air,
comme son père;
toujours sur une patte,
jamais assez de temps pour tout faire
ce qu'elle veut.

C'est une belle famille
comme il y en a tant chez nous !

Seigneur,
nous te présentons
notre petite famille.
Chacun a son caractère,
ses bons côtés et ses petites misères.
Répands ton amour
sur nous tous.
Que nous les aidions
à grandir les uns les autres
en nous aimant toujours mieux.

Amen.

La tache

"Je t'aime
d'un amour éternel."
Jérémie 31, 3.

Même si tes péchés
sont rouges
comme l'écarlate,
je les rendrai blancs
comme la neige.
Et s'ils sont violets
comme la pourpre,
ils deviendront
aussi blancs
que la laine.
Isaïe 1, 18.

Tu es toute belle
ma bien-aimée:
il n'y a pas de tache
en toi !
Cantique 4, 7.

Si nous ne voulons pas
cheminer
avec la souffrance,
nous ne pouvons pas
cheminer
avec l'amour
et le bonheur.

Paula Ripple

54

Ça promettait d'être une grosse noce:
des invités nombreux et de marque !
des cadeaux magnifiques !
des toilettes coûteuses... !

Et que la mariée serait belle !
d'abord, elle avait la grâce et la beauté
des jeunes filles de bonne famille !
et surtout, elle aurait une robe superbe:
satin, perles, dentelles...

Tout était prêt.
Mais, par précaution,
la veille, on fit une répétition générale:
à l'église, on fit un "mariage en blanc",
à la maison, on fit l'essayage des toilettes.
Qu'elle était belle la future mariée
dans sa robe de dentelles !

Le lendemain, jour du grand jour,
on habilla la fiancée pour la cérémonie.
Consternation générale... affolement total:
il y avait,
sur la robe blanche de la mariée,
à la hauteur de la hanche gauche,
une tache !

Une tache...
grande comme la paume de la main,
gris-sale ou noire-pâle !

Un cerne...
accablant,
provoquant,
décourageant !

Que faire ?
Le mariage avait lieu dans une demi-heure !
Il était trop tard
pour chercher une autre robe
ou annuler la cérémonie !

On essaya
d'abord le savon doux,
puis un détersif-miracle,
enfin un peu de gasoline !

Rien n'y fit:
le cerne était toujours là,
hallucinant.
Tout ce qui avait changé,
c'était le tissu
qui s'était légèrement ratatiné !

La mariée était au bord des larmes
et sa mère se noyait depuis longtemps
dans les sanglots !
On décida qu'on ferait enquête après la noce !
Pour l'instant, il fallait trouver une solution rapide:
il fut convenu que la mariée porterait
son bouquet à l'endroit précis de la tache
à gauche...
un peu plus bas que les conventions internationales
le demandaient.
Qu'à cela ne tienne,
on était déjà dans l'extra-ordinaire !

Après une retouche aux yeux de la fiancée,
on fit cortège vers l'église.

La nef était pleine à craquer.
Dieu, qu'on aurait souhaité un mariage intime !
Le futur marié était en grande forme

56

et n'avait d'yeux
que pour le beau visage de sa bien-aimée !
Le sourire de la future était quelque peu plaqué...
mais cela se comprend
dans ces moments si émouvants !
Toutefois la femme du maire ne manqua pas
de faire remarquer à son mari:
"Elle porte son bouquet bien bas,
tu ne trouves pas ? "
Et lui de dire:
"Il n'y a rien là...
Les jeunes aujourd'hui...
Ce n'est pas comme dans notre temps."

Et la cérémonie se déroula sans autre accroc !

Arriva le moment de la photo
sur le portique de l'église !
Le photographe demanda à la mariée
de porter son bouquet "plus haut".
Elle dit qu'elle le préférait "plus bas":
ça ferait "plus original" !
"Bon, se dit le photographe, en voilà une
qui tient à ses idées" !
Et le mari pensa qu'il n'avait pas encore vu
sa Stéphanie aussi décidée !

La situation devint dramatique
à la salle de réception !
Il fallut bien déposer le bouquet
pour recevoir les hommages de tous les invités !
Alors, la tache réapparut aux yeux de tous
excepté aux yeux du marié !
La femme du patron du marié lui dit:
"Ernest, as-tu vu la tache sur la robe de la mariée ?
Comme c'est dommage ! "

À vrai dire, Ernest ne l'avait pas encore vue
et ne l'aurait sans doute jamais vue,
étant plus attiré par la personne de la mariée
que par une petite tache !
La femme du cardiologue de la clinique
où travaillait la mariée
dit à son époux:
"Antoine, regarde la tache sur la robe de Stéphanie,
ce n'est pas possible ! "
Et lui de répondre:
"Ne t'occupe pas de cela,
et surtout n'en parle pas."
Déjà son coeur avait des palpitations
à l'idée que sa femme,
grande parleuse devant le Seigneur,
allait répandre la nouvelle
comme une "tache d'huile",
c'est le cas de le dire !
Déjà les invités échangeaient entre eux
des regards muets
mais très éloquents:
"C'est pour ça qu'elle tenait son bouquet... là !
Je comprends pourquoi sa mère a l'air si inquiète...
Et patati et patata ! "

Bref, tout le monde savait,
sauf le marié,
et personne ne le disait !

On se mit à table pour le banquet.
"Enfin ! " se dit la mariée !

Mais la "pôvre",
elle avait oublié le joyeux tintamarre
des cuillers sur les soucoupes !
Se lever, s'embrasser, s'asseoir,

faire voir la tache !
Se relever, se ré-embrasser, se rasseoir,
refaire voir la tache !
Ah ! quel supplice !

Le marié finit par se douter de quelque chose !
Au moment où il embrassait son épouse
pour la ...ième fois
et qu'il allait lui demander ce qui n'allait pas...
une voix d'enfant s'éleva comme un clairon,
— ces enfants,
dont on dit que la vérité sort de leur bouche,
mais qui ont le don de parler
quand ce n'est pas le temps —
une voix d'enfant, dis-je, s'éleva:
"Regarde, maman, la grosse tache
sur la robe de Stéphanie ! "
La maman passa par toutes les couleurs de l'arc-en-ciel:
rouge, bleu, mauve, jaune !
Il se fit un silence religieux:
on entendait les mouches voler,
tout le monde retint son souffle...
Dix secondes... ! Une éternité !

Puis le marié regarda son épouse et la noce,
et il se mit à rire, à rire, à rire !
La mariée suivit en se jetant dans ses bras...
et toute la noce rit
à se décrocher les mâchoires !

"C'était donc ça, dit le marié !
Et bien ! j'aime trop ma Stéphanie
pour tout gâcher
à cause d'une petite tache ! "
Et il embrassa à l'étouffer
sa Stéphanie heureuse jusqu'aux larmes !
"Et que la noce continue ! "

Aujourd'hui, quand on se rencontre,
on se rappelle cette noce
comme un joyeux souvenir !
Et tout le monde rit !

Pour ma part, j'en ai tiré quelques leçons
pour ma gouverne personnelle.

D'abord le ridicule n'a jamais tué personne
excepté celui qui se prend trop au sérieux.
"Si tu ne vaux pas une risée,
tu ne vaux pas grand'chose ! "
disait mon grand-père qui était un vieux sage.

Ensuite, nous nous laissons
beaucoup trop fasciner par les détails
et nous oublions la beauté de l'ensemble:
la vie serait très belle,
mais... il y a ceci qui m'encombre !
la situation où je suis serait excellente,
mais... il y a cela qui me fatigue !
Nous voyons trop souvent le monde et les gens
par le mauvais bout de la lunette !
Nous nous laissons arrêter
par le petit côté des personnes
alors que le panorama d'ensemble
est tellement plus magnifique !

Enfin, Dieu, qui nous aime
comme un époux aime son épouse,
ne laisse pas distraire son coeur
par nos "petites taches" !

Seigneur,
tu nous aimes
bien au-delà de nos bêtises.
Ton coeur est bien plus grand
que nos fautes.
Et ta capacité de pardonner
dépassera toujours notre capacité de pécher.
Préserve-nous de la désespérance:
que nous ayons toujours
le courage et l'amour de revenir vers toi.

Amen.

La vie au sérieux

Réjouissez-vous
dans le Seigneur
en tout temps;
je le redis,
réjouissez-vous.

Ne vous inquiétez
de rien.
Mais,
pour tout besoin,
recourez à la prière
et à la supplication,
remplies
d'action de grâces,
pour faire connaître
vos demandes
à Dieu.

Philippiens 4, 4-6.

Avec l'énorme
tension
qui m'accompagne
jour et nuit,
si je ne savais pas
rire,
il ne me resterait
plus qu'à mourir.

Abraham Lincoln

C'était un homme sérieux
comme ce n'était pas croyable !
Il ne riait jamais;
il avait même désappris à sourire !
Sa figure ressemblait à celle d'une momie:
blême, fade, morte.

Ce qui était plus grave,
c'est qu'il se prenait au sérieux:
incapable d'humour,
incapable de rire de lui,
encore plus de faire rire de lui.
Ce qu'il faisait,
ce qu'il disait,
avait à ses yeux
valeur d'éternité:
tout était pesé, soupesé, repesé;
tout était vu, prévu, revu.
Il ne laissait rien au hasard.
Il n'avait qu'une vie:
tous les instants comptaient,
il ne fallait rien gaspiller.

Bien pire,
il voulait qu'on le prenne au sérieux:
il ne tolérait pas
qu'on badine avec ses opinions.
Il ne fréquentait que des gens sérieux.
Il s'offusquait grandement
quand quelqu'un osait rire en sa présence
surtout de lui.
"A-t-on idée ?
Polisson, impertinent, immature ! "

N'empêche qu'il menait
une vie bien triste
pour lui et pour les autres.

Il était toujours au temps gris,
ce qui est bien monotone.

Ce qui le sauva,
ce fut un petit enfant,
un petit enfant de six ans,
qui riait aux éclats
devant lui
et même de lui.

"Pourquoi tu ne ris jamais ?
As-tu les dents si mauvaises ?
Montre pour voir ! "

Et l'enfant avait déjà les doigts
sur la bouche du monsieur sérieux.
"Laisse-moi tranquille !
Tu ne comprends pas ! "
Et il grommela:
"A-t-on idée ?
Me déranger ainsi ! "

Mais, l'enfant n'abandonnait pas:
il avait desserré les lèvres du monsieur,
et il riait toujours.

"Tiens, tu as de belles dents !
Ça doit être beau de te voir rire !
Ris avec moi !
Veux-tu ?
Hi ! Hi ! Hi ! "

Et voilà que le monsieur
commença à desserrer les lèvres,
à sourire,
puis à rire,
à rire aux éclats.

Il saisit le petit bonhomme rieur
et rit de bon coeur avec lui.

"Tu vois,
comme c'est bon de rire !
Dis,
tu vas rire encore ?
Hi ! Hi ! Hi ! "

Et le monsieur sérieux
goûta, ce jour-là,
à la fontaine du rire.
"Dieu, que j'ai perdu du temps à ne pas rire,
se dit-il.
Il faut que je me dépêche
à rattraper tout ce temps."

Et depuis ce jour,
grâce à un petit enfant,
un homme de plus sur la terre
est heureux,
et aussi,
par lui,
beaucoup d'autres.

Mon âme est toute
à l'envers...
Je m'épuise
en gémissements.
Chaque nuit,
je baigne ma couche,
j'arrose mon lit
de mes larmes.
Mon oeil brûle
à force de pleurer...

Psaume 6.

souffrir

Vouloir écarter
de sa route
toute souffrance
signifie
se soustraire
à une part essentielle
de la vie humaine.

Konrad Lorenz

Elle pleurait...

Jésus s'en alla
dans la ville
de Naïm.
Quand il arriva
à la porte de la ville,
il rencontra
un cortège funèbre:
on menait en terre
un jeune homme,
fils unique
d'une veuve.
En la voyant pleurer,
le Seigneur fut
touché
de compassion.
Il s'approcha d'elle
et lui dit:
"Femme,
ne pleure pas."
Il toucha le cercueil;
les porteurs
s'arrêtèrent.
Il dit
au jeune homme:
"Lève-toi,
je te l'ordonne."
Aussitôt,
le mort se leva
et il se mit à parler.
Alors, Jésus
le rendit à sa mère.

Luc 7, 11-15.

Nous serons tous,
un jour ou l'autre,
confrontés à la croix.

Pierre Van Breemen

68

Elle était assise au bord du lit,
au bord du lit où reposait son mari,
son mari qui, hier encore, travaillait dur
mais apportait de l'argent au foyer,
au foyer qui en avait grandement besoin.
Elle était assise aux pieds de son mari
et elle pleurait.
Elle pleurait parce qu'il avait la cheville brisée.
Il était tombé du haut de l'échelle
en travaillant.
Et bêtement,
sa cheville avait claqué,
elle avait craqué, elle s'était brisée.

Demain,
le médecin l'opérerait.
Il sortait à peine de la chambre de l'hôpital
et il lui avait dit:
"Confiance, madame, tout ira bien."
Mais une cheville brisée,
on ne sait jamais comment ça finit.
On le sait seulement après,
si ça ira bien.
Et puis,
il y a la réhabilitation,
se porter sur la cheville,
réapprendre à marcher,
faire comme avant...
Combien de temps ça prendrait ?
Elle pleurait.

Il y avait quatre enfants
à nourrir,
à vêtir,
à loger,
à chauffer,

quatre enfants en bas âge.
Elle pleurait.
Déjà, ils n'arrivaient pas
et ils avaient accumulé beaucoup de dettes.
Mais on ne peut arrêter de se nourrir,
de se chauffer, de se vêtir.
Il faut bien continuer à vivre.
Le chèque de l'assurance-chômage
ne suffirait jamais.
Elle pleurait.
Comment pourrait-elle toute seule
subvenir aux besoins de la famille... ?

Elle était pâle, pâle, pâle.
De sa main droite,
lentement,
elle avait replacé une mèche
de ses longs cheveux noirs
qui tranchaient tellement
sur la blancheur de son visage.
Elle avait les yeux baissés,
car on ne lève pas les yeux
quand on est triste.
Elle avait la tête penchée,
car on ne relève pas la tête
quand on est angoissé.
Elle avait les lèvres fermées,
car on ne desserre pas les lèvres
quand on est brisé.
Elle pleurait.

Deux ruisseaux de larmes coulaient
de chaque côté de son visage.
Mais ses vrais pleurs
étaient dans son coeur.

Là, c'était un torrent de larmes
qui n'en finissaient plus de couler.
Elle pleurait...

✻   ✻   ✻

Jésus est venu pour ceux qui pleurent.
Pour ceux qui pleurent de joie,
et alors, il s'associe à leur bonheur.
Mais, surtout pour ceux qui pleurent de douleur,
et alors, son coeur est touché de compassion.

Si tu as de la peine,
si tu souffres,
si tu es malheureux,
n'hésite pas à recourir à lui
qui a dit:
"Venez à moi,
vous tous qui pleurez,
je vous soulagerai" (Matthieu 11, 29).
et qui a encore dit:
"Bienheureux les affligés,
car ils seront consolés" (Matthieu 5, 3).

Le Seigneur Jésus a pris sur lui
toutes nos souffrances (Isaïe 53, 4).
Il ne peut être indifférent à nos misères.
Prie-le en toute confiance.
Il t'aidera sûrement.

Handicaps

Un lépreux
s'approcha de Jésus
et se prosterna
à ses pieds
en disant:
"Seigneur,
si tu le veux,
tu peux me guérir."
Il étendit la main
et le toucha
en lui disant:
"Je le veux,
sois guéri."
Et, à l'instant même,
sa lèpre disparut.

Matthieu 8, 1-3.

L'amour
sait surmonter
tous les handicaps.

Guy Gilbert

André est obèse:
cent cinquante kilos.
Il ne passe pas dans les tourniquets
du métro, du stade et des magasins.
L'autre jour,
il a voulu sensibiliser la population
aux problèmes des obèses.
Il a marché dans les rues de la ville
avec une pancarte.
Les gens "normaux"
ont ri de lui.
Il est rentré chez lui
et a pleuré toute la veillée.

> Linda est une petite paraplégique:
> chaise roulante pour le reste de ses jours.
> Elle aimerait bien
> voir un bon film au cinéma,
> aller se balader dans les magasins...
> Mais, comment faire dans cette foule ?
> Et puis, on n'a pas prévu de rampes
> pour son fauteuil roulant.
> Alors, elle reste à la maison
> et s'ennuie plus souvent qu'autrement.
> Elle se dit qu'elle fait pitié
> et que les gens "biens portants"
> ne la comprennent pas.
> Ce soir, Linda a le coeur bien gros.

Arthur est une personne âgée:
soixante-quatorze ans.
À soixante-cinq ans,
son employeur l'a invité
"forcément" à la retraite.
Il était encore vert pourtant...
Petit à petit, il a dépéri,
ne trouvant plus goût à la vie.

Même sa famille s'est désintéressée de lui.
Il est devenu "encombrant":
on l'a placé dans un foyer,
une sorte de ghetto,
où il ne dérange plus les gens "actifs".
Et ce soir, Arthur a de la peine,
parce qu'il ne comprend pas
que sa famille, à qui il a tout donné,
ne s'occupe plus de lui,
et que la société "moderne"
ne sache plus quoi faire
avec ses vieux.

Jean-Pierre est un jeune immigré noir
d'un lointain pays du Tiers-Monde.
Ce soir, avec des amis,
il a dansé dans la rue
pour célébrer la fête nationale de son pays.
Les voisins, agacés par le bruit,
l'ont traité de "sale nègre",
lui on reproché de prendre leurs "jobs"
lui ont carrément dit de retourner dans son pays
et de revenir quand il serait civilisé.
La police est venue:
il a reçu des coups de bâton
et des coups de pieds.
Assis dans le panier à salade,
il a compris
que la "civilisation" n'était pas de sa race.

François est tout seul:
sa femme l'a quitté pour un autre,
elle a demandé le divorce...
il ne s'en est jamais remis.
Mais, ce qui le fait souffrir encore plus,
c'est le rejet de sa famille:

ses frères, ses soeurs, lui ont dit
qu' "il valait mieux qu'il ne viennent plus...
à cause des enfants",
et sa mère lui a crié
qu' "il était la honte de la famille".
Alors, François s'est trouvé une compagne
qui l'accueille et l'aime.
Personne ne le comprend
et beaucoup le condamnent.
Les gens "en règle" n'acceptent pas !
Et François est malheureux,
comme ce n'est pas possible.

Thérèse est une mère célibataire:
tout le temps de sa grossesse,
elle a lutté contre la tentation de se faire avorter.
Depuis qu'elle a son bébé,
elle lutte contre les gens de "bonne réputation"
qui la montrent du doigt en cachette,
qui la fuient,
qui la condamnent.
Ce soir, Thérèse n'en peut plus
et se demande
pourquoi les gens sont si durs pour elle.

Michel est un ex-patient
d'un hôpital psychiatrique.
Il a frappé à plusieurs portes
pour se louer un appartement.
Quand on a su
qu'il avait déjà été malade mental,
on lui a refusé toute location
gentiment mais fermement.
Et Michel se désespère de plus en plus.

Louis vient de sortir de prison

où il a purgé une sentence
pour vol par effraction.
Les autorités assurent qu'il est réhabilité
et personne plus que lui
n'est disposé à bien faire.
Pourtant, il ne comprend pas
qu'on lui ferme la porte au nez
poliment ou bêtement,
chaque fois qu'il sollicite un emploi.
Louis ne comprend pas
et il se décourage de plus en plus.

Ces personnes ont un handicap qui se voit:
obésité, paraplégie, troisième âge...
et l'on pourrait continuer la liste:
drogués, alcooliques, chômeurs chroniques, etc.
Selon ce que nous sommes,
selon ce que nous portons
comme éducation,
comme principes,
comme préjugés,
comme convictions,
nous les acceptons ou nous les rejetons,
nous les aidons ou nous les jugeons,
nous les aimons ou nous nous apitoyons.
Mais, ne l'oublions pas,
nous sommes tous handicapés,
d'une manière ou d'une autre !
Peut-être les autres ne connaissent-ils pas
ton handicap,
mais, toi, tu le connais,
et il n'est peut-être pas plus intéressant
que ceux que tu vois chez les autres !

Tu dois vivre avec ton handicap
comme avec un fidèle compagnon de voyage !

Alors,
pourquoi ris-tu de l'obèse ?
pourquoi n'accueilles-tu pas le paraplégique ?
pourquoi ne visites-tu pas la personne âgée ?
pourquoi injuries-tu l'immigrant ?
pourquoi condamnes-tu le divorcé ?
pourquoi ne comprends-tu pas la mère célibataire ?
pourquoi juges-tu l'ex-détenu ? l'ex-malade mental ?
pourquoi ? pourquoi ? pourquoi ?

Le premier pas de la charité,
c'est le respect,
le respect profond et inconditionnel
de toute personne humaine,
même si elle est défigurée
par la maladie,
par l'âge,
par l' 'anormalité'',
par le vice et le péché,
même si son état est dérangeant,
sa conduite, ''condamnable'',
sa situation ''irrégulière'',
son statut, ''irrecevable''.
Et le deuxième pas de la charité,
c'est la compassion,
cette capacité de souffrir avec les blessés de la vie,
de pleurer avec les éprouvés de l'existence,
d'être avec les condamnés de ce monde.

Le Christ, lui,
mangeait avec les pécheurs,
recevait Madeleine, la prostituée,
allait chez Zachée, le voleur,
parlait avec la samaritaine, la divorcée,

et pardonnait à la femme adultère,
ces condamnés par les gens "parfaits".
C'est encore lui
qui disait "ami" à Judas,
et qui écoutait le bandit sur la croix.
C'est lui aussi
qui guérissait les lépreux, ces exclus de la société,
qui s'occupait des malades, des esseulés,
ces blessés de la vie
qui libérait les possédés, ces "anormaux" de son temps.
Sa bonté et sa tolérance,
son accueil et son respect,
sa compassion et son amour,
les transformaient,
les illuminaient,
les ressuscitaient.

Seigneur,
de tous les handicaps
libère-nous,
surtout de l'intolérance et de l'irrespect
face à tous les "marginaux" de nos sociétés.

Amen.

Le masque

Regarde:
j'ai gravé ton nom
sur les paumes
de mes mains...
Tu comptes
beaucoup pour moi.
Tu as du prix
à mes yeux.
Je t'aime.
N'aie pas peur:
je suis avec toi.

Isaïe 49, 16. 43, 1. 4. 5.

Comment peux-tu
prétendre
aimer Dieu
que tu ne vois pas,
quand tu n'es pas
capable
d'aimer ton prochain
que tu vois ?

1 Jean 4, 20.

C'est seulement
quand je suis aimé
que je peux devenir
moi-même.

Pierre Van Breemen

80

Il était si laid
qu'il faisait peur à voir.
Il faisait si peur
qu'il s'était résigné à porter un masque
quand il sortait:
une cagoule lui couvrait la tête.
Les gens, forcément, le remarquaient;
mais, au moins, ils ne savaient pas
le terrible secret qui était le sien.
Et il souffrait en silence,
énormément.
Il aurait tellement voulu
être comme tout le monde.
Pourquoi souffrait-il, lui,
d'une telle difformité ?
Pourquoi devait-il porter
toute sa vie
de telles chaînes ?
Pourquoi ne pouvait-il, lui,
vivre à découvert ?
Pourquoi devait-il cacher
sa véritable identité ?
Pourquoi ne pouvait-il montrer
son vrai visage ?
Pourquoi n'était-il pas accepté
par les gens "normaux" ?
Pourquoi devait-il porter
un masque ?

Et le soir,
seul dans sa chambre,
quand il se regardait dans le miroir,
dans le miroir de sa vie,
dans le miroir des gens,
il pleurait,
il pleurait souvent.

Le secret de sa vie,
qu'il ne pouvait partager
avec les autres,
qu'il devait porter
tout seul,
comme un poids sur ses épaules,
l'oppressait et l'attristait
au point qu'il avait souvent des migraines
et sombrait régulièrement dans la dépression.
Sa vie était un enfer.
C'étaient les épines sans les roses,
c'étaient les nuages sans le soleil,
c'était la mort quotidienne.
Que n'aurait-il pas donné
pour vivre sur une île déserte
ou encore au pays des aveugles !
Là au moins, plus besoin de masque !
Il aurait été accepté tel qu'il était,
il aurait pu montrer sa vraie nature !

Un jour
— ce jour devait fatalement arriver —
quelqu'un lui enleva son masque.
Il marchait dans la rue
quand un enfant
— l'un de ces enfants qui savent
être si gentils parfois
mais si méchants d'autres fois —
s'avisa de lui poser mille questions:
"Pourquoi tu portes une cagoule ?
pourquoi tu es toujours tout seul ?
pourquoi tu ne réponds jamais ?
pourquoi ? pourquoi ? "
Énervé et inquiet,
pris de panique,
il se mit à presser le pas.

Déjà, les gens s'attroupaient autour de lui.
Un homme, en boisson, s'approcha
et, brusquement, fit sauter sa cagoule.
Alors, sa laideur apparut au grand jour,
sa blessure secrète devint publique:
il fut démasqué !
Parmi la foule,
les uns étaient consternés d'horreur,
les autres ricanaient.
Il se blottit tant bien que mal
contre un arbre
comme une bête traquée.
Il se cacha la face
avec le pan de son manteau,
comme un coupable.
Et il se mit à sangloter,
à sangloter si fort,
si fort qu'à la fin
on fit silence.
Alors, il se retourna vers eux tous
et leur montra son visage difforme
mais surtout ses deux yeux qui pleuraient,
qui pleuraient
comme ce n'est pas possible de pleurer...
Et, il se mit à les regarder longuement,
longuement...
jusqu'au moment où,
de sa bouche toute croche
et de son coeur meurtri,
sortit ce cri:
"Vous êtes beaux,
je suis laid !
Vous vivez au soleil,
moi, je dois me cacher !
Pourquoi suis-je ainsi ?

Pourquoi ne m'acceptez-vous pas
comme je suis ? ''

Et il se remit à pleurer,
à pleurer, à pleurer...
Les gens, petit à petit,
s'en allèrent
le laissant seul,
au milieu de la place,
au milieu de sa souffrance.
Jour terrible !
Jour épouvantable !

Jour terrible ? Oui et non.
Ce fut le commencement de son bonheur.
Seul ? Oui et non.
Une main se posa doucement
sur son épaule.
Quelqu'un lui dit:
''Ne pleurez pas !
Venez, mon ami''.
Déjà, la main prenait la sienne.
Il leva ses yeux brûlants
vers cet inconnu.
Un homme,
au regard tendre et compatissant,
se tenait là tout près de lui.
Il avait beau scruter
la mémoire de son coeur...
Il ne se souvenait pas
que jamais quelqu'un
ait mis sa main sur son épaule,
que jamais quelqu'un
lui ait parlé doucement,
que jamais quelqu'un
lui ait dit: ''Mon ami''.

Et il le suivit.
Jour merveilleux !
Jour magnifique !

À partir de ce moment,
sa vie changea.
L'inconnu l'emmena chez lui.
Peu à peu,
il devint comme un membre de sa famille.
Personne ne lui faisait remarquer
sa laideur.
On l'accepta tel quel,
on l'aimait comme il était.
Il pouvait vivre à découvert,
sans masque.
Sa vraie nature apparut enfin:
être plein de douceur et de tendresse,
curieux de tout,
aimant la vie.
C'étaient les roses qui couvraient les épines,
c'était le soleil qui dissipait les nuages,
c'était la résurrection quotidienne !
Il ne cessait de répéter à son bienfateur:
"Chaque instant de ma vie
est un instant de bonheur.
Tu m'as aimé comme je suis.
Tu ne m'as pas repoussé.
Toi et ta famille m'avez donné tant de joie.
Mon ami, mon ami !
Ce sont les plus belles années de ma vie ! "

L'amour embellira toujours
tout ce qu'il touche,
et c'est très bien ainsi.

Donner sa chance
à tout le monde,
surtout aux plus blessés par la vie,
et encore plus à ceux qui sont forcés
de cacher leurs blessures,
comme c'est grand !

La personne humaine,
même la plus dégradée,
est inestimable...
Elle a coûté le sang d'un Dieu
qui ne l'a ni jugée ni condamnée
mais simplement aimée.

(Inspiré de l' ''Homme-éléphant'')

Donne de ton pain
aux gens affamés,
donne
de tes vêtements
aux personnes nues.
Prends
de ton abondance
pour faire l'aumône.
Et chaque fois
que tu donnes,
que ton regard soit
sans regrets.

Ne détourne jamais
ton visage
d'un pauvre,
et le visage
du Seigneur
ne se détournera pas
de toi.

Tobie 4, 16, 7.

donner

L'amour
consiste
essentiellement
à donner,
non à recevoir.

Erich Fromm

89

Le diplomate

*Celui qui accueille
l'un de ces petits
enfants
à cause de mon Nom,
c'est moi-même
qu'il accueille.*

Marc 9, 37.

L'esprit d'enfance
est une
des caractéristiques
les plus importantes,
les plus
indispensables
et les plus nobles
de l'homme.

Konrad Lorenz

90

C'est un petit mousse
d'une dizaine d'années.
Il s'appelle Martin.
Il n'a pour tout trésor
que ses deux jambes
qui courent toute la journée,
que son caractère
qui est toujours de bonne humeur,
que son rire
qui résonne clair et franc.
Ses poches sont vides toujours
et son estomac l'est presque aussi souvent.
Mais, son coeur est plein
d'affection et de joie.

Je marchais tranquillement
sur la route,
quand il vint me rejoindre
en courant.
Il mit sa main dans la mienne,
se mit à rire gaîment
et me dit:
"Je ne te demande pas d'argent;
moi, je marche avec toi,
pour le plaisir,
parce que tu es gentil.
Mais, si tu me donnes quelque chose,
moi, je serai bien content".
Comment résister à pareille argumentation ?
surtout qu'il la fit suivre
d'un large sourire.
Alors, je lui dis:
— Toi, tu es un petit diplomate !
— C'est quoi, un diplomate ? me demanda-t-il
C'est quelqu'un qui a beaucoup de diplômes ?
Ce fut à mon tour

de rire aux éclats.
— Non, lui dis-je;
je vais t'expliquer.
Tu vois la camera que j'ai dans la main ?
Moi, je ne te demanderai pas de faire ta photo,
mais, si tu m'offres de prendre ton portrait,
je serai bien content.
— J'ai compris, dit-il;
un diplomate,
c'est quelqu'un qui veut quelque chose
mais qui fait comme s'il n'en voulait pas !
— C'est à peu près cela !
— Alors, je suis un petit diplomate
et toi, tu es un grand diplomate !
Il se mit à taper dans ses mains;
et nous avons ri tous les deux de bon coeur.
Il ajouta:
— Je veux bien que tu prennes ma photo !
Et je lui dis:
— Et moi, je veux bien te donner quelque chose !

Depuis ce jour,
quand nous nous croisons sur la route,
il me salue toujours en riant:
— Salut, grand diplomate !
et je réponds invariablement:
— Salut, Martin, petit diplomate !

*"Laissez venir à moi
les petits enfants...
car, c'est à leurs pareils
qu'appartient
le Royaume de Dieu."*

Lc 18, 16.

Étienne et Nadia

J'avais faim
et vous m'avez
donné à manger.
J'avais soif
et vous m'avez
donné à boire.
J'étais étranger
et vous m'avez
accueilli.
J'étais nu
et vous m'avez
donné des vêtements.
J'étais malade
et vous m'avez
visité.
J'étais prisonnier
et vous êtes venus
me voir.

Matthieu 25, 35-36.

Nous n'avons pas
idée
à quel point
nous manquons
d'amour du prochain,
sincère et chaleureux.

Konrad Lorenz

Nadia est une femme adorable !
Toujours le sourire aux lèvres !
Sa maison est d'une propreté impeccable !
Cordon-bleu exceptionnel !
Des doigts de fée pour la couture !
Jolie femme en plus,
ce qui ne gâte rien à l'ensemble de sa personne !

Étienne, lui, c'est un actif.
Toujours en train
de travailler à quelque chose !
Bricoleur à ses heures !
Homme de tous les métiers:
Il sait tout faire et tout réussir !

Étienne et Nadia forment un couple
uni, heureux, plein d'amour et d'humour !
Mais, ce qui caractérise par-dessus tout ce couple,
c'est sa capacité fantastique de rendre service
et même de deviner les services à rendre !
A-t-on besoin d'un soudeur
pour relier un robinet à un tuyau ?
Étienne est là !
A-t-on un tuyau à dégeler ou à remplacer ?
Étienne est le plombier tout désigné.
Faut-il un ouvrier pour construire une galerie ?
Étienne s'improvise charpentier !
Faut-il dépanner une voiture ?
Étienne a les câbles nécessaires !
Il a toujours tout ce qu'il faut et surtout
il donne son temps, son talent, avec plaisir !
On dirait qu'il a été fait sur mesure
pour rendre service !
Nadia est pareille à Étienne là-dessus !
C'est elle qui répare les robes des voisines et...
les fonds-de-culotte de leurs enfants !

C'est elle qui coud les rideaux !
C'est elle qui invite à sa table
les malheureux sans repas !
C'est elle qui héberge dans son foyer
les voisins victimes de pannes d'électricité !
C'est elle qui entrepose dans son congélateur
la viande des voisins !
Vraiment, elle était née pour aller avec Étienne !

Seulement, Étienne et Nadia
sont deux divorcés remariés civilement !
C'est une longue histoire qu'ils m'ont racontée
en divers chapitres
au hasard des veillées
que nous avons passées ensemble
chez eux et chez moi !

Étienne et Nadia souffrent beaucoup
de leur situation "irrégulière"
aux yeux de beaucoup de gens.
Souvent, ils se privent de sortir
pour éviter d'être gênés ou gênants.
Ils sont peinés
de ce que des gens les montrent du doigt
ou parlent dans leur dos.
Nadia me dit des fois:
"Au fond, c'est Étienne
que j'aurais dû rencontrer le premier"
et... Étienne me dit la même chose de Nadia !
Deux arbres mal plantés au départ !
Condamnés à une vie mourante
ou à une mort-en-vie !
Ils ont résolu de se transplanter pour vivre !
Ils sont heureux !

Ils ont compris que leur esprit de service
est profondément évangélique:
"Tu aimeras ton prochain...
Aimez-vous les uns les autres,
comme je vous ai aimés,
voilà le plus grand commandement...
Si tu donnes à boire à celui qui a soif,
c'est à moi que tu le donnes..."
À vrai dire, Étienne et Nadia
sont de merveilleux "bons samaritains" !

Quand ils arriveront devant l'Éternel
avec leur moisson considérable
de services rendus,
les mains pleines de bonnes oeuvres,
j'aime à penser
que le moissonneur divin les accueillera bien,
en tout cas aussi bien et peut-être mieux
que certains autres en règle avec la loi
mais le coeur sec et les mains vides !
Peut-être seront-ils comme ces grains de blé
qui auront produit du cent pour un,
ou comme ces serviteurs
qui font la joie de leur maître !
Qui sait ?

Heureux,
celui qui s'occupe du pauvre.
Quand il sera dans l'épreuve,
le Seigneur le délivrera.
Il le gardera
et il lui donnera vie et bonheur
sur la terre.
Le Seigneur le soutiendra
sur son lit de malade:
il retapera son oreiller,
refera ses draps
et retournera son matelas.

Psaume 41, 2-4.

L'ennui

Vanités des vanités !
Tout est vanité !
Quel intérêt l'homme
a-t-il
de tout le mal
qu'il se donne
sur la terre ?
Tous les mots
sont usés:
tout a été dit...
Tout n'est qu'ennui !
Il n'y a rien
de nouveau
sous le soleil.

Qohélet 1.

Il y a dans le monde
tant de misère
véritable
que c'est du gâchis
de souffrir
de ce qui n'est pas
du tout
une souffrance.

Pierre Van Breemen

Elle s'ennuyait
à longueur de journées,
à longueur de semaines,
à longueur d'années !
Elle tournait en rond,
elle ne savait jamais quoi faire...
elle cherchait,
elle se cherchait !

Pourtant,
elle était bardée de diplômes,
elle avait un bon emploi;
son portefeuille débordait,
sa garde-robe aussi !
Mais, elle s'ennuyait !

Elle habitait un grand appartement meublé,
elle pouvait s'offrir tout ce qu'elle voulait,
elle ne se refusait rien.
L'autre jour,
elle était allée magasiner,
histoire de passer le temps:
elle était rentrée chez elle
avec deux chapeaux,
trois écharpes
et deux paires de bottes.

Elle n'en avait pas besoin:
elle les avait portés une fois ou deux,
puis, elle s'en était lassée, comme d'habitude.
Ils étaient restés au fond de ses armoires
jusqu'au moment où elle les avait abandonnés
pour faire de la place à d'autres plus à la mode !
Elle avait tout,
elle pouvait tout se donner !
Mais elle s'ennuyait malgré tout !

Alors, elle téléphonait
des heures durant...
ça occupait,
ça passait le temps !
Mais, ensuite,
elle se retrouvait avec son ennui,
elle se demandait ce qu'elle allait faire,
elle tournait en rond.

Malgré ses deux appareils stéréo,
malgré sa T.V.,
elle ne parvenait pas à remplir sa vie,
elle était seule.
Elle s'ennuyait
et... ennuyait les autres.

Un jour,
une de ses compagnes de travail l'amena
passer une veillée dans un foyer de personnes âgées.
Ce fut pour elle comme un coup de foudre,
comme un éblouissement.
Depuis ce jour,
elle y retourne chaque semaine:
elle se sent moins seule,
elle se sent utile,
elle se sent aimée.
Sa vie a pris un sens.
D'elle-même,
elle a décidé de faire du bénévolat
chaque samedi
dans une coopérative d'alimentation.
Elle est heureuse !

En aidant les autres,
elle s'est aidée !
En donnant aux autres,
elle s'est retrouvée !
sa vie est pleine.
Elle ne s'ennuie plus !

*Ne nous lassons pas
de faire le bien.
À son heure,
la récolte viendra.*

Galates 6, 9.

Un jeune homme riche

*Vous êtes la lumière
du monde.
On n'allume pas
une lampe
pour la mettre
sous le boisseau
mais bien
sur son support.
Alors,
elle brille pour
tous les habitants
de la maison.
De même,
votre lumière doit
briller aux yeux
des hommes:
ainsi, ils verront
vos bonnes oeuvres
et ils rendront gloire
à votre Père
qui est
dans les cieux.*

Matthieu 5, 13-16.

Quand on se sent
appelé
par le pauvre,
on est nourri
dans le profond
de son coeur.

Jean Vanier

On dirait que chez lui
les dons de la nature et de la grâce
se sont donné rendez-vous.
Bonne santé,
sourire de jeunesse...
Intelligence supérieure,
jugement équilibré,
esprit plein de finesse.
Délicatesse de la sensibilité,
débordement de l'imagination,
puissance de l'action...
Familier de la Parole de Dieu,
assidu à la prière,
attentif aux autres,
dévoué, disponible, généreux...
Bref, beaucoup de richesses !

Un jour,
comme dans l'évangile,
le Seigneur a posé son regard sur lui.
Ce fut par l'intermédiaire
des plus "maganés" de la vie:
"J'avais faim, j'étais prisonnier,
j'étais mal aimé..."
Il n'a pu résister à ce regard
et à cet appel.

Il consacrera sa vie
à cet énorme et passionnant labeur
de la miséricorde.

Il est heureux
comme ce n'est pas possible.
Bien dans sa peau,
il respire la joie.

Tous ses talents et qualités
il a résolu,
fermement et généreusement,
de les mettre au service des autres,
surtout des plus souffrants.
Déjà, il s'exerce
à différentes oeuvres
auprès des jeunes et des moins jeunes.

C'est une vraie beauté
de le voir
ou plutôt de voir le Seigneur
creuser son chemin
dans ce coeur de jeune.
Il sème
dans cette "bonne terre"
et fait des merveilles
par lui
dans le coeur des autres.

Jésus posa
son regard
sur le jeune homme
et il le prit en affection.

Marc 10, 21.

Ma petite princesse

Seigneur,
tu aimes
tous les êtres.
Et rien de ce
que tu as fait
ne te dégoûte.
Car, si tu avais
détesté l'une
de tes oeuvres,
tu ne l'aurais pas
faite...
Tu épargnes
tous les êtres,
parce qu'ils sont
à toi,
Maître, ami de la vie.

Sagesse 11, 24-26.

Un élémentaire
besoin de rêve
demeure toujours.

Pierre Clostermann

Le temps passe toujours trop vite
quand elle est avec vous.
Sa qualité d'écoute est si grande,
son attention à vous est si délicate,
qu'on dirait qu'elle déroule sous vos pas
un tapis de fleurs merveilleuses.

Vous voudriez être avec elle,
toujours.
Sa personne dégage
un charme si captivant
qu'on dirait qu'elle sème devant vos yeux
une pluie d'étoiles magnifiques.

Son sourire ne lasse jamais.
Vous la contempleriez toujours,
tellement son regard est pur.
Elle est si gentille et si aimable
qu'on dirait qu'elle dépose sur vos pieds
une poussière d'or très fine.

Avec elle,
vous ne vous ennuyez jamais.
Elle comprend tout
et ne demande rien.
Elle est si tendre et si douce
qu'on dirait qu'elle a mis dans vos mains
les diamants les plus fabuleux.

C'est ma petite princesse !
Ne me demandez pas son nom !
Vous ne le saurez pas !

Mais si vous ouvrez les yeux de votre coeur
vous la trouverez tout à côté de vous !
Et vous aurez des trésors incomparables:
des diamants, de l'or, des étoiles, des fleurs...

Et surtout,
vous aurez sa présence extraordinaire
au coeur de votre vie ordinaire !
Vous aurez son amitié fraîche et claire
au coeur de votre solitude.

Viens,
petite princesse,
regarde le clair de lune:
c'est là que tu cueilles tes fleurs,
c'est là que tu raffines ton or,
c'est là que tu filtres tes étoiles,
c'est là que tu puises tes diamants ?
Viens, petit soleil doré,
nous allons en donner
à tout le monde,
tant qu'il en voudra !

Petite princesse,
tu sais, je t'aime bien !
Viens !

Ô Seigneur,
de tout mon coeur,
je te rends grâce.
Je redis toutes tes merveilles.
Pour toi, je danse de joie.
Tu es mon bonheur.
Je chante ton nom,
Dieu Très-Haut.

Psaume 9, 2-3.

J'ai faim

Si un frère
ou une soeur
n'ont rien
à se mettre sur le dos,
s'ils n'ont pas
de quoi manger
à chaque jour
et que toi
tu leur dises:
"Allez en paix,
mettez-vous
à la chaleur
et bon appétit ! "
sans pour autant
leur donner
de quoi vivre,
à quoi cela sert-il ?
De même en est-il
de la foi:
si elle ne produit pas
d'oeuvres,
c'est une foi
complètement morte.

Jacques 2, 15-17.

Les préférés
de Jésus,
ce sont des méprisés
et des gêneurs.

André Sève

Albert marchait dans la rue,
tranquillement:
il savourait
la douceur du jour,
la brise légère
et l'ombre des platanes.
Tout-à-coup
il entendit une voix derrière lui
qui disait timidement:
"Monsieur,
j'ai faim ! "
Il prit bien garde de se retourner
et se dit en lui-même:
"Encore un de ces gamins mendiants
qui colle à mes semelles."
De fait,
la voix reprit:
"Monsieur, j'ai faim;
donnez-moi quelque chose, s'il vous plaît."
Le gamin le suivait comme son ombre !
Il lui dit:
"Je regrette, mais je n'ai rien."
Il ne lui dit pas
que précisément il s'en allait dîner
dans un bon restaurant de la ville !
Mais, la voix ne désarmait pas...
Même, elle se rapprochait !
"J'ai faim, monsieur".
Il se retrouva avec le gamin à ses côtés.
Il se disait:
"Encore un qui ment
et qui essaie de jouer avec moi
le vieux truc de la pitié ! "

Mais le gamin
avait passé son bras sous le sien,

marchait au rythme de ses pas,
et le regardait suppliant.
"Tu as beau être gentil,
se dit-il,
tu n'auras rien de moi,
et surtout tu ne m'auras pas ! "
Mais petit à petit,
une autre voix montait en lui,
douce mais questionnante,
calme mais tenace:
"Et si c'était vrai !
s'il avait vraiment faim !
s'il avait vraiment besoin de moi ! "
Une belle bataille se livrait en lui:
allait-il céder ? faire marche arrière ?
ou bien: sauver la face ? et résister ?
Et le gamin était toujours à ses côtés
qui lui disait:
"Monsieur vous pouvez me croire:
j'ai vraiment faim;
je n'ai pas mangé depuis le matin."

Finalement,
il se retrouva
assis dans un restaurant
avec le petit pauvre,
qui riait de bonheur.
Et ce jour-là
non seulement
un estomac fut rassasié,
une misère fut soulagée,
mais surtout
un peu de bonheur fut donné,
un coeur qui allait se fermer fut ouvert,
et la joie de Dieu éclata dans toute sa splendeur.

*Le Seigneur
donne du pain
aux affamés.*

Psaume 146, 7.

Pourquoi es-tu si triste ?

*N'abandonne pas
ton coeur
à la tristesse
et ne te fais pas
toi-même
des tourments.
La joie du coeur
garde l'homme
bien en vie
et la gaîté prolonge
ses jours.*

Siracide 30, 21-22.

Le rire
est une nourriture
importante.

Jean Vanier

116

Ferdinand s'était assis
sur une des chaises de son parterre,
près du trottoir de la rue.
Histoire de "prendre le frais",
comme il disait,
et de se reposer de sa journée de travail.
Déjà,
dans sa tête,
il repassait sa journée:
les succès, les échecs,
les joies, les peines...
et dans son coeur
il revoyait les gens
à qui il avait donné de l'amour ou de la haine,
qui l'avaient aimé ou critiqué.
Il avait baissé les yeux,
un peu,
comme pour regarder au-dedans de lui.

Il fut soudain réveillé de sa torpeur
par une claire voix d'enfant:
— Pourquoi es-tu si triste ? chantait-elle.
Il leva les yeux
pour voir devant lui
une tête blonde aux yeux bleus
et surtout
pour entendre
un rire cristallin très pur.
— Je ne suis pas triste,
répondit-il en bougonnant,
comme pour se défendre.
— Oui, oui, tu es triste, reprit la petite voix rieuse.
Et, avant même qu'il puisse réagir,
il retrouva l'enfant sur ses genoux:
il avait mis sa petite main sur la sienne,
la caressait doucement

et ne cessait de rire.
Finalement,
il appuya tendrement sa tête
sur la poitrine du "monsieur triste"
et s'endormit tout doucement.

Tout en le berçant tranquillement,
Ferdinand finit par s'avouer
que de fait il était triste.
Il prit bien garde
de réveiller l'enfant blond.
Mais, le sommeil de l'enfant
lui redonna joie au coeur
et vigueur au corps.
Et quand l'enfant s'éveilla,
il trouva devant lui
un Ferdinand joyeux et heureux,
aimant la vie.

Et ce soir-là,
le monde fut
un peu meilleur,
un peu plus beau,
un peu plus heureux
grâce au rire d'un petit enfant blond.

Divertis-toi,
réconforte ton coeur,
chasse la tristesse loin de toi.

La tristesse en a perdu plusieurs:
tu n'auras aucun profit
à le suivre.

Siracide 30, 23.

Madame la duchesse

Si quelqu'un veut
te prendre
ta tunique,
donne-lui
même ton manteau.
S'il te demande
pour faire un mille
avec lui,
fais-en deux.

Matthieu 5, 40-41.

Il n'est pas bon
que je me prenne
trop au sérieux.

Jean Vanier

120

Madame la duchesse est à sa maison d'été,
à la frange d'un charmant petit village.
Elle qui, d'ordinaire,
a sa cuisinière,
sa ménagère,
sa chambrière,
et son chauffeur,
ne se trouve ici qu'avec Lison
qui fait tous les travaux.
Car, madame ne touche à rien
et ne travaille pas:
cela ne conviendrait pas à son rang.

Or, voici que madame est sortie de sa propriété
pour se promener à la campagne:
elle a robe à frisons,
chapeau de dentelles,
gants parfumés
et parasol élégant.
Elle marche tout doucement
humant l'air de la prairie
et faisant lentement tournoyer son parasol.
"Qu'il fait bon se promener ici",
se dit complaisamment madame.

Soudain,
un petit garçon de six ans
fait irruption devant madame
qui sursaute:
"Voulez-vous m'aider à tenir l'échelle ?
Mon chat est grimpé dans l'arbre
et je ne peux le rejoindre.
J'ai besoin de quelqu'un pour tenir mon échelle."

"Décidément,
ce gamin ne sait pas à qui il s'adresse ! "
se dit la duchesse.

Mais, déjà,
le garçonnet a saisi la main de madame
et l'entraîne au galop
jusqu'à l'arbre.
Madame
a déjà ses deux mains gantées sur l'échelle.
Son parasol a roulé par terre et s'est sali;
en courant, elle a accroché la dentelle de sa robe
qui s'est déchirée.
Son chapeau est en équilibre instable sur sa tête
et sa belle coiffure est toute défaite.

Mais, déjà,
le gamin est monté dans l'échelle.
Le voilà sur la branche où se trouve le chat.
La branche se met à osciller,
car le chat résiste à la main du garçon.
Et madame reçoit
sur la tête et les épaules
des feuilles, des petites branches mortes,
de la poussière.
"Oh ! cela se peut-il ? "
crie-t-elle intérieurement.

Mais, déjà,
le gamin est descendu de l'arbre:
à la bouche, un large sourire,
dans les bras, un chat miteux.
"Regardez, madame, comme il est beau,
mon chat ! "
Et joignant le geste à la parole,
il dépose le chat dans les bras de madame,
sur le sein de la duchesse !
Madame n'en croit pas ses yeux !

Elle rend aussitôt la bête au gamin
qui dit gentiment:
"Merci, madame,
vous avez été bien bonne pour moi."

Madame rattrape à la hâte son parasol,
époussette sa belle robe,
souffle sur ses gants
et rentre vite à la maison.

Une fois remise de son aventure et de son émotion,
bien assise dans son fauteuil,
elle se dit:
"Ces garnements n'ont vraiment pas d'éducation ! "
Mais, en même temps une autre voix
résonne en elle:
"Réjouis-toi,
tu as rendu service
et tu as rendu ce gamin heureux."
Et madame la duchesse
se surprend à penser:
"Ma foi,
j'ai d'autres robes et d'autres gants;
je retournerai sur ce chemin.
Et si ce gosse a besoin de moi
encore une fois,
je l'aiderai volontiers."

Avec beaucoup d'amour,
mettez-vous au service
les uns des autres.

Galates 5, 13.

Quand vous priez,
ne faites pas comme
les hypocrites:
pour faire
leurs prières,
ils choisissent
les synagogues
et les carrefours,
afin d'être vus
de tous.
Toi, quand tu veux
prier,
retire-toi
dans ta chambre,
ferme la porte
et prie ton Père
qui est là,
dans le secret.
Et ton Père
te le rendra.

Matthieu 6, 5-6.

prier

La prière est
vraiment une perte
de temps.
Et plus que cela,
c'est une perte
de soi.

Pierre Van Breemen

127

Prière simple

En tout temps,
recourez à la prière.

Philippiens 4, 6.

On peut vivre
quelques jours
sans nourriture
mais aucun
sans prière.

Gandhi

Seigneur,

Je sais que tu m'aimes
bien plus
que tout ce que je peux imaginer.

Garde-moi au creux de ta main
dans la paix et la tranquillité.

Tiens-moi tout près de ton coeur
dans la joie et l'amour.

Que ta bonté remplisse mes journées
et que ta douceur rafraîchisse toute ma vie.

Amen.

Les brebis fatiguées

*Ils étaient
comme des brebis
sans berger.*

Marc 6, 34.

Où êtes-vous,
les sentinelles
de Dieu ?
Qui servez-vous ?
Vers qui allez-vous
d'abord ?

Guy Gilbert

Seigneur,
tu me connais mieux que moi-même
et tu sais
que je fais de mon mieux
pour être un bon pasteur.
Mais, comme ce n'est pas facile d'être curé !

Ce qui me tracasse le plus,
ce sont tous ces paroissiens
que je ne vois jamais
et qui ne me voient jamais:
tu sais, les "brebis fatiguées" de ton évangile,
celles qui sont sans berger !
Les brebis pratiquantes
prennent presque tout mon temps
et, alors, il ne m'en reste à peu près plus
pour les autres.

Pourtant, toi, tu n'oubliais jamais les fatiguées,
tu courais même après elles.
Ça, ça me fatigue pas mal !
Seigneur,
que je sois le berger de toutes les brebis
mais surtout des plus éloignées et des plus fatiguées.

Amen.

Seigneur, je suis malheureux

Devant le Seigneur,
épanchez votre coeur.

Psaume 62, 9.

Je découvre
tous les jours
qu'un homme est
toujours plus beau
que son examen
de conscience.

Jacques Leclercq

Tu sais, Seigneur
aujourd'hui,
j'ai la gorge et le coeur
qui me serrent.
Je ne suis plus heureux:
depuis trois ans,
la chance ne vient plus vers moi.
J'ai perdu tant de choses,
beaucoup trop !
Et, un jour,
je me suis découragé...
et j'ai fait des bêtises.

Me voilà déjà arrivé à vingt-cinq ans
et je n'ai encore rien devant moi
sauf une porte avec des barreaux.
Et quand je la regarde,
j'ai envie de pleurer.
Mais, il n'y a rien qui coule de mes yeux:
je suis trop orgueilleux;
j'ai peur que les autres m'entendent pleurer,
qu'ils rient de moi,
qu'ils disent que je ne suis pas un homme.
Alors, pour leur montrer
que je suis dur moi aussi,
je me tiens avec les "gros-bras";
je parle contre les petits.
Je me plais à leur faire du mal
pour me faire apprécier des "gros-bras"
et pour me faire protéger ensuite.

Seigneur,
mes parents m'ont pourtant bien élevé.
Ils m'ont appris
à aimer tout le monde
et à protéger les faibles.
Ils m'ont donné beaucoup plus d'amour

que, moi, je ne leur en ai donné.
Comment se peut-il
que je sois devenu ce que je suis ?

Apprends-moi
à aimer les autres comme ils sont,
avec leurs faiblesses et leurs défauts.

Bientôt,
je vais subir mon procès
et je vais avoir ma sentence.
Je ne veux plus
vivre en prison,
je ne veux plus
entendre parler de violence,
je ne veux plus
entendre claquer les portes de fer.

Dans un mois,
ce sera la belle fête de Noël.
Je veux la passer dans ma famille
avec mes parents,
mes deux sœurs et mon petit frère.
Donne-moi cette chance, Seigneur.
Je t'en prie.
Montre-moi le bon chemin.
Apprends-moi
à aimer tout le monde.
Apprends-moi aussi
à m'aimer,
à accepter ma maladie, mes limites,
à accepter la vie comme elle est
avec ses hauts et ses bas.
Je t'aime.

Mets de la joie
dans ma vie
et dans mon coeur.

Merci, Seigneur.

Tu es ma route

*Je ne suis
jamais seul.
Celui qui m'a envoyé
est toujours
avec moi.*

Jean 8, 29.

L'essentiel...
c'est cette présence
à Dieu,
à chaque instant
de notre vie,
orientée toute
vers Lui,
comme la fleur
qui suit le soleil
toute la journée.

René Latourelle

Seigneur,
conduis-moi sur des routes
de paix, de calme, de tranquillité.
Que je marche
à l'ombre de tes désirs,
à la fraîcheur de ton amour.

Montre-moi le chemin
où tu veux m'amener.
Que ta lumière me soit douceur,
que ta main me soit sûreté.

Où pourrais-je aller loin de toi ?
Tu es ma route !
Que je ne m'égare pas !
Que je ne te perde pas !
Phare de mes errances...
Parole de mes balbutiements...
Guide de mes trébuchements...

Amen.

Calomnie

*J'ai mis mon espoir
dans ta parole,
Seigneur.
Dans ma misère,
elle est pour moi
un réconfort.*

Psaume 119, 49-50.

Je n'ai pas le droit
de condamner,
mais je n'ai pas
le droit non plus
d'acquitter.

Cardinal Marty

Seigneur,
il a dit de moi
toutes sortes de mensonges.
Il m'a rabaissé
aux yeux des autres.
Il m'a traîné dans la boue.
Il m'a bêtement calomnié.

Tout ça,
parce que je ne pouvais approuver sa conduite
et que j'ai dû le lui dire.
Et comme cela ne faisait pas son affaire,
il m'a sali, noirci, meurtri.
Sa langue a craché du venin
sur ma réputation.

C'est dur à prendre.
Je ne pouvais tout de même pas
lui dire: "Bravo ! "
Je lui ai pourtant toujours parlé
avec la délicatesse de l'amitié
et la tendresse d'un grand frère.
Et j'ai bien pris garde de le juger.
Mais, je ne pouvais cesser
d'être fidèle à ton évangile.

J'ai pensé à toi
quand tu as été renié et trahi
par deux amis, deux apôtres.
J'ai aussi pensé à ta parole:
"Heureux serez-vous
quand on dira du mal de vous
à cause de moi" (Matthieu 5, 11).
Drôle de bonheur !
Mais, ta parole m'a consolé
et réconforté.

Il est quand même élevé parfois
le prix à payer
pour te rester fidèle !

Seigneur,
tu sais que je t'aime
et que je ne te quitterai pas.
Je te prie aussi
pour cette personne
qui m'a fait mal.
Change son coeur.
Et donne-lui la paix.

Amen.

Esprit de Dieu

Au jour
de la Pentecôte,
les Apôtres étaient
tous ensemble.
Et voilà que du ciel
survint un bruit
semblable à
un violent coup de vent.
La maison
où ils étaient
en fut toute remplie.
Ils virent alors
apparaître
comme des langues
de feu
qui se divisèrent
et se posèrent
sur chacun d'eux.
Ils furent tous
remplis
de l'Esprit Saint.

Actes 2, 1-4.

La prière est
une attente.
Pierre Van Breemen

141

Esprit de Dieu,
tu nous enseignes toute chose:
éclaire-nous,
aide-nous à discerner ce qui est bon pour nous.

Esprit de Dieu,
tu élimines nos peurs:
fortifie-nous,
fais de nous des apôtres courageux et responsables.

Esprit de Dieu,
tu as fait naître et grandir Jésus en Marie:
développe-le en nous aussi,
que nous devenions de vrais enfants de Dieu.

Esprit de Dieu,
tu es capable de nous donner le goût du Seigneur:
accorde-nous la paix et la joie du coeur
et viens habiter notre prière.

Esprit de Dieu,
tu nous envoies annoncer
la Bonne Nouvelle aux pauvres:
fais de nous des messagers d'espérance,
et des consolateurs remplis de miséricorde.

Esprit de Dieu,
tu bouscules et désinstalles comme un "Vent violent",
libère-nous de nos routines et de notre médiocrité,
garde-nous disponibles à tes appels.

Esprit de Dieu,
amour du Père et du Fils,
amour qui fait de l'Église une grande famille,
renouvelle la face de la terre
en renouvelant notre coeur.
Amen.

J'ai mal

Le centurion
dit à Jésus:
"Seigneur,
mon serviteur
est paralysé,
il souffre beaucoup".
Jésus lui dit:
"Je vais aller
le guérir."

Matthieu 8, 6.

Quand un homme
crie son malheur,
c'est toujours Dieu
qui appelle.

Jacques Leclercq

143

Seigneur,
je souffre beaucoup:
j'ai mal à l'âme.
On m'a fait du mal,
et cela m'a fait de la peine.
Mais, le pire,
c'est que j'ai rendu le mal pour le mal.
Et aujourd'hui, j'ai encore plus mal.

Vois ma misère, Seigneur.
Je suis comme paralysé,
je ne sais plus où me tourner.
Viens à mon secours,
comme tu as secouru le serviteur du centurion.
Je n'en suis pas digne, je le sais.
Mais, ton coeur est plus grand que mes bêtises.
Viens,
je t'attends.

Amen.

Je suis tout petit

Seigneur,
mon coeur
n'est pas enflé,
mon regard
n'est pas hautain.
Je ne suis pas
le chemin des grands,
je ne fais rien
qui me dépasse.
Je me tiens en paix
et en silence.

Psaume 131, 1-2.

Les hommes
les plus utiles
n'ont pas été
les plus grands
en dignité.

Newman

Seigneur,
je suis tout petit.
Je n'ai rien d'un puissant
ou d'un important.
Je n'ai jamais paru
à la radio, à la T.V. ou dans les journaux,
et les gens me trouvent bien ordinaire.
Mais, je t'aime, Seigneur.
Et dans le silence de mon coeur,
je veux te prier encore aujourd'hui.
Je sais que tu es toujours là
prêt à m'écouter.
Je sais aussi tous les secrets
que tu m'as révélés
au coeur de mon coeur,
du coeur de ton coeur.
Pour toi, je suis extraordinaire !

Ne me laisse pas;
avec toi, je suis bien.

Amen.

Oui, j'ai vraiment péché

Mon péché,
je le connais.
Ma faute est
devant moi
sans relâche.

Psaume 51, 5.

Le chrétien
se découvre pécheur,
mais pécheur
aimé de Dieu...
d'un amour fou.

Richard Bergeron

Seigneur,
je ne sais pas ce qui m'arrive.
J'enfonce dans la boue
de plus en plus.
Je me surprends
à faire des choses "pas très catholiques",
en pensées, en paroles, en actions.
Il me semble
que je rempire
au lieu de m'améliorer.
Je me sens emporté
par un courant plus fort que moi.
Un gouffre m'attire
sans que je puisse m'en sauver.
Il est vrai que je pourrais
faire des efforts
et cueillir la grâce
que tu ne cesses de m'offrir.
Mais, voilà,
la tentation est si alléchante
que je n'y résite presque pas
et que je ne pense même pas
à te prier
en ces moments-là.
C'est seulement
après que le mal est fait
que j'ai le réflexe
de penser à toi.

Oui, Seigneur,
j'ai vraiment péché.
Et, je me retrouve aujourd'hui
devant toi
avec le poids de ma misère sur le coeur.
Je sais que ton coeur
est plus grand que mes fautes,

qu'il est plein de bonté et de miséricorde.
C'est pourquoi
je reviens à toi
encore une autre fois,
sûr de pouvoir compter
sur ton amour
et ton pardon.

Même au fond du gouffre,
ne me lâche pas.
Même dans la vase jusqu'au cou,
tiens ma main.
Tu sais bien mieux que moi
combien j'ai besoin de toi
pour ne pas me décourager,
pour me relever sans cesse.
Aide-moi
à m'en sortir.
Aide-moi
à m'aider.
Et que ta paix
soit à nouveau en moi.

Amen.

Dans la tempête

Seigneur,
délivre-moi
des lèvres fausses,
de la langue perfide.

Psaume 120, 2.

Si je glisse
dans la haine,
je serai
inévitablement
un homme diminué.

Pierre Clostermann

150

Seigneur,
je te prie
pour ceux qui ont la gueule-de-bois,
pour ceux qui ont le coeur comme un ouragan.
Je te prie
pour ceux qui exagèrent dans leurs jugements,
pour ceux qui font des procès d'intention aux gens.
Je te prie
pour ceux qui crachent du feu en parlant,
pour ceux qui ont les yeux comme des mitraillettes.

Donne-leur
un peu de paix au coeur,
un peu de douceur aux lèvres.
Donne-leur
un peu de vérité à l'esprit,
un peu de sérénité à l'âme.
Donne-leur
un peu de joie dans les yeux,
un peu de tendresse au corps.

Aide-moi
à ne pas les juger,
à ne pas les condamner.
Aide-moi
à ne pas leur remettre coups sur coups,
à ne pas les blesser à mon tour.
Aide-moi
à leur pardonner,
à continuer à les aimer.

Amen.

Toi qui as eu besoin...

Zachée,
j'ai besoin
d'aller chez toi.

Luc 19, 5.

Les priants
et les souffrants
représentent
dans le monde
l'énergie spirituelle
la plus dense...

René Latourelle

Seigneur,
toi qui as eu besoin de Marie-Madeleine,
la pécheresse publique,
pour parfumer tes pieds fatigués
et pour les essuyer de ses cheveux;

toi qui as eu besoin de Zachée,
ce collecteur d'impôts méprisé et rejeté,
pour te recevoir dans sa maison
et te faire un bon repas;

toi qui as eu besoin d'une Samaritaine,
cette étrangère rendue à son "sixième mari"
pour donner à boire
à ton corps fatigué par la route;

toi qui as eu besoin d'un Matthieu,
ce douanier considéré comme un "pas bon",
pour manger avec lui et ses pareils
et pour en faire ton apôtre et ton évangéliste...

peut-être aussi
as-tu besoin de moi ?

Je ne suis pas une prostituée
comme Marie-Madeleine,
je ne suis pas un publicain méprisé,
comme Zachée,
je ne suis pas une divorcée
comme la Samaritaine,
je ne suis pas un type rejeté des "bons",
comme Matthieu,
mais, j'ai en commun avec eux
que je suis un pécheur,
tu le sais mieux que moi.

Ils t'ont donné si peu:
de l'eau, du parfum,
un repas...

Et, en retour,
tu leur as donné tellement:
ton pardon, ta paix, ta joie,
ta vie éternelle.

Je suis peut-être égoïste,
mais, moi aussi,
je veux tout cela.

Je t'offre mes péchés
et tout ce que j'ai
qui peut t'être utile.
Prends-le.
Je serais si heureux
de faire quelque chose pour toi.
Est-ce que je peux te rendre service
en quelque chose ?
Dis-le moi.

Viens dans ma maison,
moi aussi,
je veux te donner un bon repas,
je veux te donner à boire,
je veux te laver les pieds...

Viens, je t'attends.
Car, si tu as besoin de moi,
j'ai encore plus besoin de toi.

Amen.

Jésus humble de coeur

*Je suis doux
et humble de coeur.*

Matthieu 11, 29.

Dans le monde
actuel,
la personne
la plus importante,
c'est le pauvre.

Mère Teresa

Jésus,
toi, le fils du Père très-haut,
toi, la deuxième personne de la Trinité très sainte,
en prenant notre humble condition d'hommes,
tu n'as pas retenu le rang qui t'égalait à Dieu
(Philippiens 2).

Bien plus, en mourant sur la croix,
tu as pris sur toi toutes nos misères,
toutes nos souffrances, tous nos péchés.
Tu t'es humilié,
tu as été humilié,
tu n'étais plus reconnaissable (Isaïe 53).

Et puis,
quand tu vivais sur la terre,
tu t'es occupé tout spécialement
des petits, des faibles, des humbles:
les enfants, les malades, les exclus, les pécheurs.
Tu étais patient et doux avec eux.
Tu les aimais.
Tu ne craignais pas les ouvrages humbles
comme de laver les pieds de tes disciples (Jean 13).

Et, en agissant ainsi,
tu nous as donné le plus bel exemple !
Enseigne-nous
à être doux et humbles de coeur comme toi:
à ne pas rechercher nos intérêts,
à prendre la dernière place,
à pratiquer le service effacé
de la charité les uns envers les autres.
Car, tu as voulu
que ta force se manifeste dans la faiblesse
et que ta gloire apparaisse dans la simplicité !

Ô Jésus, doux et humble de coeur,
rends notre coeur semblable au tien !   Amen.

Une bonne nouvelle

*La Bonne Nouvelle
est annoncée
aux pauvres.*

Luc 4, 18.

**L'amour
est toujours
de saison.**

Mère Teresa

Seigneur,
une bonne nouvelle,
que ça fait donc du bien !
Quand j'ai appris que j'avais du travail,
j'étais tellement contente
que j'ai téléphoné à mes amies:
on a fait une petite fête
et j'ai même hypothéqué ma première paie.
Mais, ça ne fait rien,
tout le monde était tellement heureux !

Seigneur,
la vraie bonne nouvelle,
c'est toi !
Tu viens nous dire
que tu es de notre côté,
que tu es à nos côtés,
que tu es toujours là
à mettre tes pas dans nos pas.
Quand j'ai su cela,
ça m'a fait un coup de joie.
Je me suis dit:
"Il faut fêter ça."
Et je t'ai invité.
Viens fêter avec nous, chez nous.
Tu es le très bienvenu.

Amen.

Pardon

*Va d'abord
te réconcilier
avec ton frère.*

Marc 11, 25.

Dieu pardonne
très facilement
et de bon gré.

Pierre Van Breemen

Seigneur,
je te demande pardon
du peu d'attention
que j'ai donné à l'un de mes amis.
Je l'ai plutôt peiné
en lui faisant des reproches
et je l'ai écrasé un peu
du haut de mon autorité.

Je n'ai pas été
un signe de ton amour.
Non seulement j'ai raté
une occasion de me taire
mais j'ai surtout été
un contre-témoignage
de ta bonté,
de ta tolérance,
de ton pardon.

Je te prie pour cette personne
que j'ai blessée.
Donne-lui
la paix et la joie
et aussi la capacité de me pardonner.

Amen.

Vivre en prison

Seigneur,
entends mon appel !

Psaume 130, 2.

Il faut donner
le droit à quelqu'un
de faire des erreurs,
de se casser le nez.

Jean Vanier

Vivre en prison,
Seigneur,
c'est assez pour en perdre la raison.
Chaque jour qui passe
m'écrase un peu plus.

Je pense
à tout ce que j'ai fait,
à tout ce qui m'est arrivé...
Et chaque jour m'est un combat.

Toi, Seigneur,
qui es tout près de moi
en ce moment,
garde en mon coeur
l'espérance de jours meilleurs.
J'attends ces jours de bonheur
avec beaucoup d'impatience
et d'espérance.

Car, le bonheur,
c'est quelque chose d'indispensable:
on ne peut s'en passer.
Même si parfois le moral est bas,
il ne faut jamais lâcher
dans la vie.
Il y a toujours
des obstacles à surmonter.
Mais, avec la sérénité,
et surtout avec Toi,
on peut tout obtenir.

Merci, Seigneur.

Et Dieu vit
que tout ce
qu'il avait fait
était très bon...
Il dit
à l'homme
et à la femme
qu'il avait façonnés:
"Je vous donne
tout ce qu'il y a
sur la terre;
emplissez-la
et domestiquez-la."

Genèse 1, 31. 29. 28.

aimer la nature

Gens d'ici et
d'ailleurs,
dites !
Qu'avons-nous fait
de cette terre

que Dieu
nous a donnée
comme un cadeau
précieux ?

Au printemps

Bénissez le Seigneur
pour toutes
ses oeuvres.

Siracide 39, 14.

Les hommes
qui portent en eux
un clochard
en filigrane,
ceux qu'un rien rend
heureux,
un merle sur l'herbe,
des lichens
sur un mur,
une flaque de soleil
sur un arbre,
ceux qui vivent
pleinement l'instant,
ces hommes-là
sont immortels.

Jean Sulivan

166

Je suis allé faire une ballade
à la montagne
par une belle journée de fin d'avril.
Le ruisseau s'était remis à couler:
des blocs de glace tout énervés
de se voir emportés par le courant rapide
se heurtaient ici et là
aux pierres qui les faisaient tournoyer
comme des valseuses.
Des touffes de neige immaculée
jalonnaient la descente de l'onde
comme autant de pelotes de mousse savonneuse,
comme si le ruisseau faisait
sa toilette du printemps.
Et l'eau chantait tout doucement
un air de renaissance
qui s'harmonisait fort bien
au chant des oiseaux
et au léger bruissement
des feuilles vert tendre
dans les arbres.

Tout à coup,
j'aperçus un petit lièvre
qui s'égayait
au milieu des trilles blancs et pourpres
qui venaient tout juste
d'ouvrir leurs pétales au soleil.
Quand il vit que j'étais là
à le regarder,
il détala
en trois bonds
derrière un bouleau blanc
qui tremblait de toutes ses nouvelles feuilles
sous la brise du vent.

Je m'assis sur une grosse pierre
près d'une vieille souche de merisier
toute criblée de champignons.
Autour de moi,
les fougères poussaient joyeusement
en queue-de-violon
et me saluaient gentiment
en se dandinant au soleil.
Déjà, les petites fleurs bleues
émaillaient la mousse et le gazon
de leur clair sourire.

De partout,
la vie éclatait.
La nature engourdie
sortait de son long sommeil d'hiver,
elle s'étirait aux chauds rayons du printemps,
elle se réveillait.
Dans cette merveilleuse tranquillité des bois,
elle exprimait,
une fois de plus,
son désir invincible de VIVRE.

Et je me disais
en contemplant tant de beauté:
"Que tu dois être beau,
Seigneur,
toi qui mets sous mes yeux éblouis
tant de merveilles !
Que tu dois aimer la vie,
toi qui l'as semée
avec tant d'abondance ! "

Mélanie-la-perchaude

Vous, océans
et rivières,
bénissez le Seigneur.
Baleines et poissons
de la mer,
bénissez le Seigneur.

Daniel 3, 78-79.

La nature,
si belle et si douce,
meurt tranquillement
de nos mains.

Jacques Leclercq

Moustachue et bariolée,
Mélanie-la-perchaude
vivait tant bien que mal
dans une de nos belles rivières polluées:
égoût à ciel ouvert,
eaux vertes l'été,
eaux rouges au printemps,
eaux brunes le reste de l'année !
Plutôt mal que bien à vrai dire,
mais elle ne s'en rendait pas trop compte:
elle s'était habituée, que voulez-vous ?
Il est vrai qu'elle était obligée d'éviter
certains courants vraiment trop étouffants;
elle avait aussi des difficultés avec sa digestion
et elle éternuait beaucoup trop souvent.
Mais, à part ça, elle se tirait d'affaire pas trop mal.

Un pêcheur vint à passer près de la maison.
Il lui tendit un ver bien propre et bien dodu:
Mélanie-la-gourmande ne put résister;
elle sauta bien vite sur l'appât frétillant
et se retrouva tout aussi vite
dans le panier de Pierrot.
Mais, quand il voulut la manger,
Pierrot hésita:
Mélanie était si frêle et si maigrelette
qu'il se dit qu'elle devait être malade.
Mais, par pitié, il ne la tua pas;
il la mit plutôt dans un bassin d'eau claire
qu'il avait rempli à même son puits artésien.
"Quand je retournerai à la pêche,
je la rendrai à sa rivière.
Pauvre petite ! "

De se voir dans cette eau claire et fraîche,
Mélanie en éprouva beaucoup de joie.
Mais, comme elle n'était pas habituée,
elle en attrapa des coliques et un mal de tête carabiné,
pour une bonne journée.
Par la suite, ce fut le paradis.
Elle n'en finissait plus de zigzaguer
et de faire des têtes-à-queue dans le bassin;
et puis, elle se faisait dorer au soleil
pendant de longues heures.
La vie était belle !

Mais, un jour, Pierrot retourna à la pêche
avec Mélanie dans son panier.
Arrivé à la rivière, il la remit
à son "habitat naturel".
Mélanie n'en croyait pas ses yeux ni son nez:
l'eau était sale et puante;
elle avait des nausées, elle étouffait presque.
"Mon Dieu, que ce monde est malade !
Comment ai-je pu y vivre auparavant ?
Et dire qu'il va falloir que je m'y habitue
à nouveau ! "
Et Mélanie se remit à éviter certains courants,
à mal digérer et à éternuer.

La vie est dure en ce bas monde !

Robert

Le soleil se lève...
L'homme se lève
aussi
pour aller travailler,
pour faire
son ouvrage
jusqu'au soir...
Psaume 104, 22-23.

L'homme moderne
a perdu contact
avec lui-même,
avec autrui
et avec la nature.
Erich Fromm

Robert est venu me voir
en me disant:
"Je suis fatigué.
J'ai étudié toute l'année.
Je ressens une lassitude mentale
qui m'accable et me défait.
Pour me refaire,
je pars en randonnée cycliste,
avec trois amis.
Nous allons avaler de la route:
au moins cent kilomètres par jour,
peu importe la température.
Seule la neige peut nous arrêter.
Ne plus penser,
pédaler, pédaler, pédaler.
Et surtout VIVRE au rythme de la nature.
Nous partons chaque jour
avec le lever du soleil
et nous nous couchons
en même temps que lui.
Ça, ça retape un homme,
crois-moi."

Je lui ai dit:
"Bonne route
et surtout bon repos.
Tu as besoin de te changer les idées.
Tu me sembles épuisé."
Et j'ai ajouté:
"Si j'avais vingt ans,
comme toi,
je partirais avec vous."

Et je reprenais intérieurement
l'une de ses paroles:
"Nous allons VIVRE au rythme de la nature."

Comme c'est vrai
et comme c'est bon !

Je ne suis pas un naturiste enragé.
Mais, il reste que nous avons oublié
tant de choses élémentaires
que la nature nous rappelait si bien.
Nous sommes devenus
des oiseaux de nuit:
couchés tard, levés tard.
Pourtant, on nous disait
que les heures de sommeil avant minuit
valaient double.
Nous avalons cafés sur cafés
pour nous tenir réveillés:
je n'ai pas encore vu
beaucoup d'écureils ou de chevreuils
en prendre.
Ils courent toute la journée
et respirent l'air des bois.
Nous, nous sommes devenus
des gratte-papiers,
ronds-de-cuir sédentaires,
et nous respirons la pollution.
Etc., etc.

Vivre au rythme de la nature...
Est-ce que je rêve ?
Mais, faire de ce rêve
une réalité...
au moins de temps en temps,
le plus souvent possible...
comme ce serait merveilleux !

Et, il n'est jamais trop tard
pour commencer.

Que la pollution soit avec nous !

Vous,
montagnes
et collines,
bénissez le Seigneur.

Daniel 3, 75.

À force d'épuiser
la nature
au seul service
du profit,
nous l'avons
défigurée
et parfois massacrée.

Jacques Leclercq

175

Les citadins étaient fatigués
de respirer l'air de la ville,
de courir tout le temps,
de vivre stressés.

Une bonne fin de semaine,
ils décidèrent d'aller faire du ski dans le nord:
le plein air, le ciel bleu, la neige blanche,
l'exercice, tout cela les "ravigoterait" tellement.

Ils arrivèrent tôt
dans un des grands centres de ski du nord.
Vite les skis aux pieds !
Vite les monte-pentes !
Que c'était merveilleux et tonifiant !
Mais, après la troisième descente,
ils de mirent à sentir une drôle d'odeur
qui ne les lâcha pas jusqu'au pinacle de la montagne.
Qu'est-ce que ça pouvait bien être ?
Ah ! non ! ce n'est pas possible ! Pas ça !
Ça, c'était l'huile des moteurs des autobus !
Soixante autobus qui ronronnent dans le "parking",
ça vous fait un beau nuage
jusqu'au sommet de la montagne
et un beau concert à des kilomètres à la ronde !
Interdit de "stopper" les moteurs !

Et vive la pollution !
Dire qu'on était venu pour prendre du bon air
et pour écouter le silence des bois !

Le loup et l'agneau
(version moderne)

Vous,
les enfants
des hommes,
bénissez le Seigneur.
À lui,
haute gloire
et louange éternelle !

Daniel 3, 82.

Nous avons cassé
le silence,
souillé les sources
et les rivières.
Et même les oiseaux
du ciel,
même les poissons
de la mer,
ne peuvent plus
être heureux.

Jacques Leclercq

C'était une belle petite rivière du nord,
gracieuse et romantique.
C'était merveille de la voir
se prélasser paresseusement
par les beaux après-midi d'été
sous la lumière dorée du soleil.
Elle se tortillait comme une couleuvre
en rampant jusqu'au lac.
Ses eaux y étaient encore claires et pures,
ce qui est chose rare
par les temps qui courent...
Et le ciel et ses nuages s'y reflétaient bellement,
si bien que les canotiers
avaient parfois le sentiment
de glisser dans l'azur.

Les poissons zigzaguaient
comme des petits fous
dans les courants calmes et frais de l'onde,
quand ils ne se laissaient pas bronzer
comme des vacanciers insouciants
aux chauds rayons du soleil
sur les berges de sable blanc.

Les arbres qui la bordaient
se saluaient gentiment
de leur côté de rive
et, quand la rivière n'était pas trop large,
ils se donnaient galamment la main,
échangeant poliment leurs parfums
et se caressant tendrement les feuilles.

Le silence y était magnifique.
On l'entendait presque,
tellement il faisait une musique apaisante.
Le seul bruit qui venait le troubler,
c'était le chant des oiseaux:

les mésanges se disaient leur bonheur
de branches en branches,
les pinsons, minuscules, faisaient des arpèges
sur la grève,
les hirondelles faisaient du rase-motte
à la recherche d'insectes pour leur couvée,
les jaseurs commméraient copieusement
d'un cèdre à l'autre,
et les pics-minules martelaient les grands pins
avec la précision d'un métronome.
Douce musique du silence,
des bois et de l'eau.

Et pour ajouter à ce joyeux concert,
voilà qu'à un détour de la route d'eau,
tout près d'un pont,
trois ou quatre petits bonshommes de dix-douze ans
s'ébattaient gaiement dans l'onde.
Rien de bien méchant !
Ils avaient enlevé leurs bas et leurs souliers,
retroussé leurs culottes,
et s'amusaient à faire la chasse aux poissons:
brochets agiles, carpes dodues, dorés pansus.
Course éperdue dans l'eau,
clapotis joyeux,
poisson toujours gagnants
— allez donc capturer un poisson mains nues ! —
enfants toujours contents.
Ces bruits anodins s'accordaient d'ailleurs fort bien
à la musique de la nature.
Belle harmonie ! Orchestre bien dirigé !

Vint un moment
où à force de patauger dans l'eau,
l'un des gamins voulut satisfaire
un besoin bien naturel:
il avait sans doute bu sa bonne part

d'eau et de limonade !
Et la nature réclamait ses droits.
Rien de plus normal !
Et quoi de plus naturel.
que de le faire en pleine rivière:
après tout, ce n'était qu'un peu plus d'eau dans l'eau !
Et notre gamin de s'exécuter
subito presto...
et, bien sûr, suivi de ses compagnons.
Si tu le fais, tout le monde le fait,
surtout quand on a onze ans
et qu'on est des petits gars !
Mais voilà qu'au beau milieu
de ce dialogue aquatique,
une voix, du haut du pont, déchira l'air:
"Espèce de petits vauriens,
vous salissez l'eau
que je bois tous les matins !
Attendez que je vous attrape ! "
Du coup, les gamins en eurent le sifflet coupé
et levèrent vite les yeux
en direction de la voix.
Un homme d'âge mûr
leur lançait des regards de carabine
et déjà descendait en courant
à leur rencontre.
Ils partirent au galop
avec, à leurs trousses,
l'homme en colère.
Eux nu-pieds,
lui chausssé de grosses bottines sales,
tous énervant l'eau, les poissons et les oiseaux.
L'harmonie était rompue,
le silence était brisé,
l'orchestre était désaccordé !

Mais, je demande:
qui, pensez-vous,
a le plus pollué la rivière ?
Les petits pêcheurs aux pieds nus
ou
l'adulte aux bottines crasseuses ?

Et qui croyez-vous,
a le plus troublé le silence des bois ?
Les frimousses rieuses
ou
le criard déchaîné ?

Y aura-t-il toujours des loups
pour déranger les agneaux ?

C'était une belle
vache noire

Vous tous,
animaux
et troupeaux,
bénissez le Seigneur.

Daniel 3, 81.

Tout le monde
passe sa vie
à essayer d'être
heureux
et personne
ne sait exactement
quand il l'est.
C'est pour cela
qu'il y a
tant de gaspillage.

Anonyme

Ernest est un fervent naturiste:
il a son potager
qu'il arrose uniquement avec l'eau de pluie !
Mais, on ne sait pour quelle raison,
il n'ose pas en boire quand même !
Quant à l'engrais pour ses tomates et ses fèves,
il s'est acheté un vache !
Une belle grosse vache noire
avec un pinceau tout blanc au bout de la queue,
des cornes en forme de lyre,
des museaux rouges
comme les petits poissons en bonbons,
et des yeux... des yeux à vous faire chavirer le coeur !
Un amour de vache...
qui lui donne un lait "nature" authentique,
qui lui fait un amour de fumier !

Mais, Ernest ne s'est pas aperçu
que le clos du voisin
où broute sa Noirette
est arrosé régulièrement d'herbicides et d'insecticides,
et engraissé au 16 - 10 - 12
de la compagnie chimique XXX.
Pauvre Ernest ! Pauvre Noirette !
et adieu la nature chimiquement pure !

Alfred

Vous,
souffles et vents,
bénissez le Seigneur.
Vous,
feu et chaleur,
bénissez le Seigneur.
Vous,
fraîcheur et froid,
bénissez le Seigneur.

Daniel 3, 65-67.

L'homme
contemporain
aspire
à la tranquillité,
mais il est
impuissant
à rentrer
en lui-même.

René Latourelle

184

Alfred était fatigué de la ville.
Impossible de dormir tranquille:
il y avait le trafic des autos,
le bruit des motos, surtout,
qui vous déchirait le silence de la nuit
comme une épée déchire un beau tissu de satin.
Et puis,
quand il mettait le nez dehors,
il ne respirait que le monoxide de carbone
de toutes ces autos,
de toutes ces motos !
Et, c'est le cas de le dire,
il en avait plein le nez.

Alfred, un jour, prit une grande décision.
Il quitterait la ville
et s'en irait vivre à la campagne.
Là, au moins,
il aurait de l'air pur,
de la tranquillité,
du calme;
il pourrait dormir la fenêtre ouverte
et prolonger sa vie,
car "la campagne, c'est la santé".

Sitôt dit, sitôt fait !
Il trouva, dans une campagne
des environs de la grande ville,
une belle petite propriété qui lui alla comme un gant.
Il l'acheta tout de suite.
Dans son petit royaume,
c'était un homme heureux qui s'installait.
Alfred était au septième ciel.
Le bon air de la campagne,
la tranquillité des champs !
Ah ! Alfred allait commencer à vivre !

Mais voilà qu'Alfred déchanta bien vite...
Il ne tarda pas à s'apercevoir
que chacun des cultivateurs,
qui étaient ses voisins,
avaient un ou deux chiens;
c'était la coutume à la campagne.
Et des chiens, ça jappe.
Ça jappe le jour,
mais ça jappe aussi la nuit,
et ça se répond dans un joyeux concert.
Et Alfred continua de sursauter dans son lit,
la nuit, au milieu de son sommeil.

Mais, ce n'est pas tout.
Quand enfin, il réussissait à s'endormir,
sur les petites heures du matin,
il était encore réveillé
par le bruit du tracteur du voisin
qui s'en allait labourer son champ.
Et encore ces maudits bruits de moteurs
qu'il avait voulu quitter,
oublier définitivement,
les voilà qui refaisaient surface !

Quant au bon air de la campagne,
Alfred en avait pris son parti.
Le monoxide de carbone était,
bien sûr,
beaucoup plus rare
et c'était tant mieux.
Mais il était remplacé,
de temps en temps,
par le fumier de vache,
le fumier de poule
et le purin des porcs
que le cultivateur répandait à profusion

sur son terrain
pour engraisser ses champs.
Et, une fois de plus,
Alfred en avait plein le nez !

Pauvre Alfred !
Et pauvre monde !
Pauvre civilisation !
et pauvre progrès !
Alfred finit par penser que,
pour être heureux et complètement tranquille,
il devrait aller vivre au pôle nord
ou dans l'antartique.
Mais, il n'y alla pas.
Il se dit en effet que
peut-être, là-bas aussi,
il y aurait des bruits de moteurs d'avions
ou de moto-neiges
ou de chiens qui tirent les traîneaux
et qu'encore une fois
il n'aurait pas la sainte paix
qu'il cherchait tant.

Et il soupira:
"Ah ! si au ciel,
au moins, on peut avoir la paix ! "

Joël

*Venez vous-mêmes
à l'écart,
dans un lieu désert,
et reposez-vous
un peu.*
Marc 6, 31.

Un être qui cesse
de réfléchir
est en danger
de perdre
toutes ses facultés
et ses qualités
spécifiquement
humaines.
Konrad Lorenz

Chaque fois qu'il est fatigué,
tendu ou inquiet,
Joël sait quoi faire
pour retrouver la paix dans son coeur.

Il part seul
à bicyclette.
Il ne va pas très loin.
Juste un peu en dehors de la ville.
Il a depuis longtemps repéré
un coin tranquille
au bord de la rivière
juste derrière une touffe de grands pins.

Il s'assied alors sur l'herbe de la rive,
le dos bien appuyé contre une grande pierre.
Il détache ses souliers
pour être bien à son aise.
Et là, dans le calme de la nature,
il regarde couler la rivière:
le flot traverse d'abord des récifs,
il se bat avec les pierres de surface,
il sue de l'écume et de la mousse en quantité;
puis, il se fait un chemin
jusqu'à une étendue plus tranquille,
où l'eau se repose doucement
comme sur un miroir.

À mesure que Joël suit
le parcours de l'onde,
la vague sur le lac de son âme diminue.
Le parfum des grands pins
vient lui caresser les narines
de son odeur âcre.

Ses paupières s'appesantissent peu à peu.
Et Joël s'endort,
une brindille de mil aux lèvres
et des aiguilles de pin sous les mains.
Joël goûte la paix
extérieure et intérieure.
Son âme se calme,
son front se déplisse
ses mains se desserrent.
Il fait soleil au jardin de son coeur
et de jolies fleurs commencent à y pousser.
Joël est au paradis;
il file le parfait bonheur.

Quand il se réveille,
Joël est de nouveau prêt
à affronter la vie.
Il a refait ses forces,
retrouvé son dynamisme.
La vie lui sourit.

Prière écologique

C'est le Seigneur
qui a tout créé,
c'est lui qui a donné
la sagesse
aux hommes pieux.

Siracide 43, 33.

Notre grand
malheur,
c'est d'avoir pensé
qu'avec
des techniques
de plus en plus
perfectionnées
l'on pourrait
répondre
à tous les besoins
de l'homme.
Nous avons oublié
que l'homme
est d'abord
et avant tout
un être sensible
pour qui l'amour
est aussi essentiel
que l'air qu'il respire.

Lucien Pelletier

191

Béni sois-tu, Seigneur,
pour notre terre si belle
et pour tous ceux qui travaillent
à la rendre plus belle encore.

Béni sois-tu
pour les jardiniers, les paysagistes, les pépiniéristes,
qui mettent de l'harmonie et des couleurs
jusqu'au fond de notre oeil.

Béni sois-tu
pour les architectes, les ingénieurs, les ouvriers,
qui transforment et disposent la matière
pour notre utilité et notre confort.

Béni sois-tu
pour les artisans, les artistes, les poètes,
qui font jaillir la beauté
du bout de leurs doigts, de leur palette
ou de leur ciseau.

Béni sois-tu
pour nos frères et soeurs humains
qui sont soucieux
de faire de notre terre
un habitat toujours plus beau et plus sain.

Pardon, Seigneur, pardon,
pour tous ceux qui prennent notre terre
pour une immense poubelle,
qui la salissent, la polluent, la massacrent.

Pardon
pour les industriels irresponsables
qui déversent leurs déchets
dans nos rivières et nos lacs
et tuent de plus en plus la vie aquatique.

Pardon
pour les fabricants de pluies acides,
plus préoccupés de faire de l'argent
que de sauvegarder notre environnement.

Pardon
pour les campeurs imprudents et irréfléchis
qui éteignent mal leur feu en forêt
et allument des brasiers
aussi destructeurs qu'incontrôlables.

Pardon
pour les producteurs de déchets nucléaires
et de produits hautement toxiques
qui exposent au danger
des populations entières
à cause de leur manque de précaution.

Pardon
pour ceux qui brisent une branche
sans nécessité,
pour ceux qui écrasent une fleur
pour le "fun",
pour ceux qui tuent un animal
sans raison.

Pardon, Seigneur, pardon.

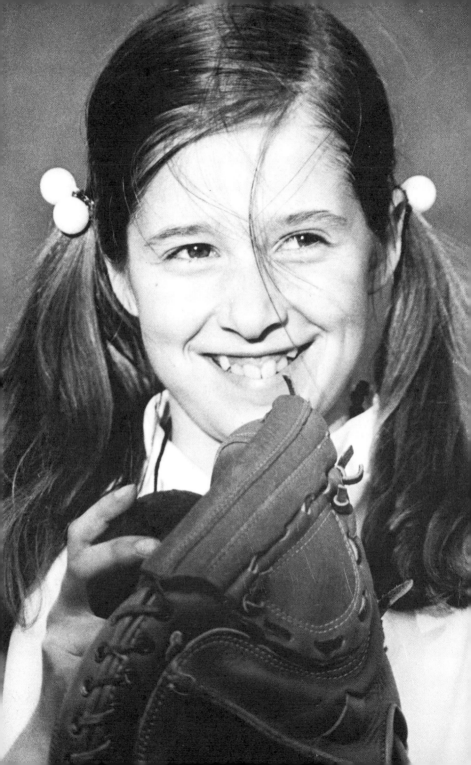

Regarde,
je te propose
aujourd'hui
la vie et le bonheur,
la mort
et le malheur...
Je te propose
la vie et la mort,
la bénédiction
ou la malédiction.
Choisis donc la vie.

Deutéronome 30, 15. 19.

vivre

Le véritable test
n'est pas de mourir
mais de vivre.

Alfieri

La vie, comme c'est beau !

*Dieu a créé
tous les êtres
pour qu'ils vivent.*
Sagesse 1, 14.

Nous sommes faits
pour ce qui est
grand, noble et bon.
Martin Luther King

Tu n'en finiras jamais
de contempler la vie... et de vivre !
La vie,
c'est quelque chose de tellement merveilleux !

Soulève une pierre
le long du sentier...
Regarde... vois-tu
ces milliers d'insectes
qui grouillent de vie ?
Lève les yeux vers le ciel...
Regarde... vois-tu
ces dizaines d'hirondelles
qui patrouillent le ciel
à la recherche de nourriture
pour leurs petits ?
Assieds-toi sur ta galerie...
Regarde... vois-tu
ces petits enfants
qui font leur bonheur
à jouer dans l'eau,
à courir après un papillon,
à s'amuser avec leur chat ?

C'est tout cela la vie
et bien autre chose encore.

Cet humble pissenlit
qui pousse dans ta plate-bande
est aussi plein de vie
que cet orme magnifique
qui étale son panache
du haut de ses quinze mètres
Ce bébé qui vient de naître
et qui fait la joie de ses parents
est tout plein de vie lui aussi.

Que de vie
dans les joyeux ébats des enfants,
dans la grâce des jeunes filles,
dans la fraîcheur des jeunes gens,
dans la force des adultes,
dans la bonté des personnes âgées !

La vie est un cadeau de Dieu.
Il est vie lui-même.
"Je suis la Vie", dit Jésus (Jean 14,6).

La vie,
même la plus petite, même la plus laide,
même la plus blessée,
mérite notre attention
et notre amour.
Car, elle est grande.

On comprend pourquoi
tant de poètes on chanté la vie:
"Que c'est beau, c'est beau, la vie ! "
Vis ta vie !
Je veux toute, toute, toute,
la vivre, ma vie..."

Nous n'aurons pas assez de cette vie
pour vivre notre vie...
Il nous faudra toute l'éternité !
Car, la vie, la vraie vie,
c'est plein de Dieu dedans.

La soif

Celui qui vient
à moi
n'aura plus jamais
faim.
Celui qui croit
en moi
n'aura plus jamais
soif.

Jean 6, 35.

Le contact
ou la rencontre
avec les faibles
est une
des nourritures
les plus essentielles
à la vie.

Jean Vanier

Avoir soif
et ne pas trouver de quoi boire,
quel tourment !
Avoir soif,
apaiser sa soif pour quelque temps,
pour quelque temps seulement,
et puis recommencer à avoir soif,
quelle souffrance !

J'ai bu à bien des fontaines,
j'ai goûté à bien des sources...
Aucune n'a étanché ma soif !
Je me suis essayé à bien des choses,
j'ai multiplié les expériences,
toujours je suis resté sur ma soif,
jusqu'au jour...

Jusqu'au jour
où je t'ai rencontré, Toi,
la fontaine intarissable,
le puits sans fond,
la source toujours claire.
Le jour où je t'ai vu dans les autres,
surtout les plus petits,
les plus faibles,
les plus misérables,
le jour où j'ai commencé
à t'aimer
en eux,
le jour où je les ai aimés
en toi,
ma vie s'est mise à changer.
J'ai du mal
à me reconnaître moi-même !
Et c'est tant mieux !

J'avais soif d'amitié, d'affection, de tendresse,
de lumière, d'amour, de vie.
Tout cela,
je l'ai trouvé
en te trouvant.
Je ne cours plus
après l'impossible rêve.
Je ne me cherche plus.
J'ai trouvé.
Je t'ai trouvé.
Je n'ai plus soif.
Je suis bien.
Ma vie est pleine.
Elle a son sens.
Je suis heureux.

Tu es venu à ma rencontre.
Je t'ai reconnu.
Sans toi, je ne serais rien.
Avec toi, je suis tout,
je puis tout.
Merci beaucoup.

Je ne me lasserai pas...

Ô Seigneur,
qu'est-ce que
l'homme
pour que tu t'en
souviennes ?
Tu l'as fait
presque aussi grand
qu'un dieu,
tu l'as couronné
de gloire
et de splendeur.

Psaume 8, 5-6.

Ce qui est important, c'est la personne.

Mère Teresa

Je ne me lasserai pas
de regarder les petits enfants.
Leur innocence illumine mon regard,
leur simplicité réchauffe mon coeur
et leur sans-gêne réjouit mon âme.
Des fois, je me surprends
à vouloir leur ressembler.
Et toujours, je suis content
de jouer avec eux
sur le plancher de la cuisine
ou dans la cour près du jardin.

Je ne me lasserai pas non plus
de regarder les jeunes.
Quelle beauté de les voir
s'épanouir au soleil de la vie !
Quelle merveille de les voir
construire leur vie encore en fleur !
Promesses vivantes !
Regards pleins de lumière,
coeurs gonflés d'espérance,
mains chargées d'enthousiasme !
Des fois, je me surprends
à remercier Dieu
de les avoir mis sur ma route.
Et toujours, je suis heureux de les aider
à construire leur projet de vie
et de les voir à côté de moi
m'aider à poursuivre le mien.

Je ne me lasserai pas davantage
de regarder les femmes et les hommes mûrs.
Comme c'est beau de les voir cueillir les fruits
de leur labeur et de leurs amours !
Comme c'est merveilleux
de les voir bâtir

leur famille, leur quartier, leur monde !
Travailleurs infatiguables,
parents dévoués et patients,
gens donnés et donnant sans cesse !
Des fois, je me surprends
à les écouter et à les contempler,
juste pour le plaisir,
tellement ils sont beaux, forts et grands.
Et toujours, je suis fier
de mettre la main à la pâte avec eux,
d'aller veiller chez eux,
et d'avoir parmi eux
mes meilleurs amis.

Je ne me lasserai pas enfin
de regarder les personnes âgées.
Quels trésors
de sagesse et de bienveillance
n'y a-t-il pas dans leur regard
et au bout de leurs doigts !
On dirait qu'ils sont là
uniquement pour écouter,
sans juger, sans condamner.
Ils comprennent tout et tous,
et leur expérience les met à l'abri
de la méchanceté.
Ils ont toujours trop de temps,
mais jamais trop de patience
et d'amour !
Des fois, je me surprends
à vouloir tout de suite avoir
leur bonté, leur tendresse
et leur disponibilité.
Et toujours, je suis bien
en leur compagnie.

Non, Seigneur, je ne me lasserai pas
de te voir en chacun d'eux,
toi qui te reflètes si bellement
dans la confiance des enfants,
dans la générosité des jeunes,
dans le dynamisme des adultes
et dans la bonté des vieillards.
Non, je ne me lasserai jamais !

La vie...

Je suis la Vie.

Jean 14, 6.

Nous n'avons pas
la puissance
d'envoyer
des vaisseaux spatiaux
vers la lune,
mais nous pouvons
lancer des fusées
d'amour
vers tous
nos semblables
où qu'ils soient.

Julius Nyerere

La vie, au fond, est simple.
C'est nous qui la compliquons
trop souvent...

La vie,
elle est faite d'amour,
d'amour que tu donnes
et d'amour que tu reçois,
tantôt plus, tantôt moins,
tantôt moins bien, tantôt moins mal...

Cela s'appelle
bonté, tolérance, gratuité,
ou bien compassion
quand l'amour est meurtri,
ou encore pardon
quand il est blessé, trahi.

Cela s'égrenne
au fil du quotidien,
au rythme de tes pas,
à la cadence de tes activités.

Cela a un nom:
Dieu.
Mais, tu l'entendras
d'abord dans la solitude de ton coeur,
dans le silence de la nature,
dans le secret des êtres...

Tu l'entendras ensuite
dans les soupirs de tes frères et soeurs,
qui sollicitent ton amour.

Tu l'entendras enfin
dans les cris des plus démunis
qui ne finissent plus de t'appeler...

Viens... Viens... Viens...

Fait-il Pâques dans notre monde ?

Je suis
la résurrection.
Qui croit en moi,
même s'il est mort,
vivra.
Et qui vit et croit
en moi
ne mourra jamais.

Jean 11, 25-26.

Dieu travaille
en faveur de ceux
qui ne travaillent pas
pour eux-mêmes.

Newman

Pâques !
la fête de la victoire de Jésus
sur la mort, sur le mal, sur le péché.

Fait-il Pâques dans notre monde ?
Cela dépend !
Quand l'égoïsme l'emporte sur le partage,
quand la guerre prend le pas sur la paix,
quand l'armement supplante le désarmement,
il ne fait pas Pâques, hélas !

Quand la vérité est bafouée,
quand la fidélité est ignorée,
quand la justice est sacrifiée
sur l'autel de l'orgueil ou de la colère,
il ne fait pas Pâques, oh non !

Quand les enfants son mal aimés par leurs parents,
quand les étudiants sont mal éduqués
par leurs professeurs,
quand des brebis sont mal conduites par leurs bergers,
il ne fait pas Pâques, loin de là !

Mais,
quand des ouvriers décident de partager leur travail
pour qu'il y ait moins de chômeurs,
quand des riches décident de partager leurs biens
pour qu'il y ait moins de pauvres,
quand des patrons décident de partager leurs profits
pour qu'il y ait moins de déséquilibre social,
les lueurs de Pâques apparaissent dans notre nuit.

Quand des jeunes acceptent
de donner quelques années de leur vie
au service des plus démunis,
quand des adultes s'engagent pour faire du bénévolat
en faveur d'une oeuvre de bienfaisance,

quand des voisins s'entendent
pour dépanner d'autres voisins,
la lumière de Pâques s'assume au coeur de nos vies.

Quand la vie humaine échappe
à l'avortement, au suicide ou au meurtre,
quand la liberté humaine échappe
à l'oppression, à l'ambition ou au caprice,
quand la misère humaine échappe
à l'oubli, à l'indifférence ou à l'insulte,
les couleurs de Pâques brillent
au milieu de notre monde.

Fait-il Pâques dans notre monde ?
Cela dépend !
Cela dépend... de nous !

Béatitudes de vie

Bonheur à vous,
les pauvres,
le Royaume
des cieux est à vous,
Malheur à vous,
les riches,
vous avez
votre consolation !

Luc 6, 20-24.

Si je suis
dans la boue
et que vous m'y
laissez,
vous vous souillez
vous-mêmes.
Si vous m'aidez
à grandir,
vous grandirez
vous-mêmes.

Julius Nyerere

Bonheur aux parents
qui engendrent la vie de leurs enfants
et qui les aident à mûrir
au soleil de leur affection
et de leur tendresse.

Malheur aux humains
qui ne s'occupent pas
de leurs petits enfants
et qui les laissent grandir
sans amour et sans soutien.

Bonheur à ceux
qui adoptent des enfants
condamnés à une vie errante
et qui les aiment
comme leurs propres enfants.

Malheurs aux juntes militaires et aux dictateurs
qui enlèvent, déportent ou tuent les enfants,
nés en prison,
comme de vulgaires objets.

Bonheur aux chercheurs
qui constamment luttent
contre les maladies, les fléaux, les catastrophes.

Malheur aux constructeurs d'armes
toujours plus dévastatrices,
aux fabricants de guerres.

Bonheur à ceux qui se préoccupent d'écologie,
de qualité de l'environnement,
d'amour de la nature.

Malheur à ceux qui polluent
l'atmosphère, la mer et la terre
au profit de leurs intérêts
égoïstes et mesquins.

Bonheur aux éducateurs
qui apprennent aux jeunes
à garder leurs corps et leurs esprits
en santé et en bonne forme.

Malheur aux profiteurs de jeunes
qui gaspillent leurs corps et leurs coeurs
dans le jeu, la pornographie,
la drogue et l'alcool.

Bonheur aux travailleurs de la médecine
qui sauvent des vies
par leur science et leurs bons soins.

Malheur aux charlatans, apprentis, incompétents,
qui s'enrichissent
aux dépens de leurs patients.

Bonheur aux artisans de la justice sociale
qui sacrifient leur vie,
parfois jusqu'à la mort,
pour la libération de leurs frères et soeurs de la terre.

Malheur aux exploiteurs des petits,
aux enrichis sur le dos des pauvres,
aux politiciens affamés de pouvoir.

Bonheur à ceux qui partagent
même le peu qu'ils possèdent.

Malheur à ceux qui gardent
tout pour eux.

Bonheur à ceux qui servent l'évangile
pour mieux servir le Seigneur
et les autres.

Malheur à ceux qui se servent de l'évangile
pour mieux se servir.

Ainsi,
nous ne serons plus
des enfants...
Mais,
vivant dans la vérité
et dans l'amour,
nous grandirons
de toutes
les manières
vers le Christ.

Éphésiens 4, 14-16.

grandir

L'un des meilleurs
ressourcements,
c'est le sentiment
qu'on grandit,
qu'on progresse.

Jean Vanier

Sylvie

Ils mettaient tout
en commun.
Ils vendaient
leurs biens,
Et ils en
partageaient le prix
avec tous
selon les besoins
de chacun.

Actes 2, 44-45.

Il y a tant et tant
à apprendre.

Richard Bach

Sylvie a reçu
beaucoup de cadeaux
pour sa fête.
Elle a reçu des bonbons,
des chocolats, des gâteaux.
Ses amis sont tous venus
célébrer son anniversaire.
Et Sylvie est contente.
Mais, il y a quand même
un petit coin de son coeur qui est triste:
d'un côté, elle voudrait
que tous ses amis soient contents
comme elle,
d'un autre côté, elle voudrait
garder toutes ces friandises
pour elle.
Une belle petite bataille se livre
dans le coeur de Sylvie...

Et voilà qu'elle décide
de tout partager.
Tout le monde est heureux,
et Sylvie a appris
une grande chose
le jour de ses six ans:
elle a appris à partager.
C'est sûrement son plus beau cadeau.

Luc-André

Nous sommes
composés
d'un peu tout
ce que nous avons
rencontré.

Paula Ripple

Luc-André s'ennuyait à l'école:
d'ailleurs, il n'y réussissait pas bien.
Après sa deuxième année d'école secondaire,
il décida qu'il en savait assez
et que maintenant "il vivrait au boutte ! "
Il se trouva un "gang"
qui l'initia à la "vraie vie":
la bière, le "pot", les femmes, les petits vols.
Rien de bien grave:
des disques, des cigarettes, des barres de chocolat,
qu'il revendait à "bon prix".
"Ça me faisait de l'argent
pour m'acheter de quoi sortir !
Et puis, ça me donnait un "thrill"
comme tu ne peux pas savoir ! "

Mais, avec le temps, les besoins grandissaient:
il fallait faire des coups
plus souvent et plus gros.
Un jour il fut pris.
Il fut jugé, condamné, coffré.

Il est "en-dedans" présentement;
il réfléchit:
"Jusqu'ici, j'ai raté ma vie;
mais, en sortant d'ici,
je la réussirai".
De fait, il la réussira.

Bribes de croissance
recueillies ça et là

Jeune homme,
réjouis-toi
dans ta jeunesse;
aux jours
de ton adolescence,
sois heureux.
Suis le chemin
de ton coeur...
Mais, sache
que la jeunesse
et les cheveux noirs
ne sont que vanité !

Qohélet 11, 9-10.

Nous avons besoin
de réfléchir
sur le sens
de notre vie.

Paula Ripple

Vis ta vie.
Tu as des qualités et des talents.
Ne les enfouis pas dans les sables
de l'ignorance, de l'égoïsme et de la facilité.
Mais, développe-les au maximum
et mets-les au service de tes frères et soeurs.
Tu seras heureux comme ce n'est pas possible.

Garde un coin de ta vie
pour les plus mal-pris que toi.
Ils t'apprendront tant de choses
que tu regretteras seulement
de n'avoir pas commencé plus tôt
à leur donner un peu de ton coeur.

Tiens-toi de préférence
du côté des petits.
Ne courtise pas les puissants.
Mène une vie simple.
N'entretiens pas d'appétit de grandeur.
Tu auras moins de frustrations
et tu seras bien plus heureux.

Ne te laisse abattre
ni par l'échec ni par l'injure.
Et ne laisse pas ta tête s'enfler
par le succès ou par les compliments.
Profite des uns et des autres
pour corriger ou améliorer
la trajectoire de ta vie.
Mais, ne te laisse pas arrêter
par ces fantômes.

Réserve-toi des temps
de silence et de solitude
pour garder ou retrouver
le secret de ton être.

C'est là que tu referas
le plein de ta personne.
C'est là aussi que tu trouveras
la paix et la sérénité
si nécessaires
à ton plein épanouissement.

Prends conseil
de beaucoup plus vieux que toi.
Ils sont des trésors vivants
de sagesse et de bienveillance.
Ils t'instruiront sur tant de choses
que tu n'apprendras jamais
dans les livres
ou sur les bancs d'écoles.

Voue ta vie à une grande cause.
Choisis-la bien.
Et donne-lui le meilleur de toi-même.
N'accepte jamais d'être médiocre
et de mener une petite vie bien tranquille.
Tu es un aigle
capable de conquérir les étoiles
et non une taupe
rivée à la croûte terrestre.

Fais-toi beaucoup d'amis.
Ils valent bien mieux
que tout l'argent que tu peux accumuler
Ils seront
le réconfort de ta souffrance,
la joie de tes succès,
la consolation de tes échecs
et le soutien de ta vieillesse.

Avant d'entreprendre un projet,
assieds-toi
et mesure tes forces.
Si tu décides de le réaliser,
ne t'arrête pas en chemin.
Va jusqu'au bout de ton projet.
Les gens n'ont que du mépris
pour ceux qui n'ont pas le courage
ni la ténacité
de terminer ce qu'ils ont commencé.

Ne sois ni imprudent ni téméraire,
mais ne sois pas peureux non plus.
Calcule tes risques
mais prends-en.
Sois audacieux,
prends des initiatives,
donne-toi des défis à relever.
Ne sois pas un suiveux,
mais sois un leader en quelque chose.
Autrement, ta vie sera moche
pour toi et pour les autres.

Garde ton regard pur, vrai et droit.
Cultive le sourire:
il illuminera ton visage
et celui des autres
et te procurera beaucoup d'amis.

Ne salis pas ta bouche
de paroles dures ou bêtes.
Tu regretteras toujours
d'avoir montré aux autres
le petit côté de ton coeur.

Ne gaspille pas ton temps.
Occupe-toi à des choses utiles
pour toi et pour les autres.
En plus de te gagner l'estime des gens,
tu seras content de toi,
ce qui est fort important
dans la vie.

Ne sois ni cruel ni méchant.
Sois plutôt trop bon
que pas assez.
Et s'il t'arrive
de faire du tort ou de la peine
à quelqu'un,
aie assez de simplicité et d'amour
pour t'excuser
et pour demander pardon.

Fais toujours passer
les personnes avant les choses.
Ne sois pas avare de ton temps.
Aie dans ta vie des projets
qui apparemment ne paient pas.
En plus de récolter l'estime des gens,
tu en tireras beaucoup de satisfaction personnelle
et tu éviteras de devenir mesquin.

Cherche plus
à aimer qu'à être aimé.
Si tu t'appliques au premier,
tu cueilleras souvent le second
comme un beau fruit mûr.

Aie dans ta vie
un véritable ami
à qui tu puisses tout compter
comme à toi-même,

sur qui tu puisses toujours de fier
aux temps de malheur comme de bonheur.
Ce confident,
ce trésor,
choisis-le entre mille.
Et ne le laisse jamais tomber:
il a aussi besoin de toi
que toi, tu as besoin de lui.

Ne dépense pas d'énergie
à détester ou à haïr
celui qui t'a fait du mal.
Tu ne ferais qu'aigrir ton coeur
et, finalement,
c'est à toi
que tu ferais le plus de mal.

Tu as toute ta vie pour toi
mais tu n'en as qu'une.
Alors, vis,
vis intensément,
vis pleinement.
La vie, c'est beau,
la vie, c'est grand,
la vie, c'est merveilleux.

Philibert

*"Mon Dieu,
Je te rends grâces
de ce que
je ne suis pas
comme les autres hommes..."
disait le pharisien,
et il ne fut pas
justifié.
"Quiconque s'élève
sera abaissé."*

Luc 18, 11.14.

Le début
de la croissance,
c'est de commencer
à accepter
ses faiblesses.

Jean Vanier

Philibert s'aperçut un jour
qu'il était tout seul dans la vie.
Il était devenu grincheux, hargneux, grogneux.

Il n'avait presque plus d'amis
sur qui compter.
Il n'était plus écouté de personne.
Il était devenu totalement improductif,
stérile, impuissant,
inutile aux yeux des autres
et finalement à ses propres yeux.
Il avait fini par se dégoûter lui-même.
La veille, un de ses rares amis lui avait dit,
comme ça, brusquement:
"Tu donnes l'impression que tu sais tout !
que tu n'as rien à apprendre des autres !
Tu te crois parfait,
et bien sûr tu penses que les autres le sont si peu !
Tu juges tout de haut,
mais tu ne te mouilles jamais !
Tu critiques tout,
mais tu n'acceptes évidemment jamais
de l'être à ton tour !
Tu évalues tout le monde
mais tu n'as jamais besoin d'évaluation !
Tu sèmes le ridicule à droite et à gauche,
mais tu joues à la vierge offensée
quand on se moque de toi !
Tu as bien sûr ton cercle d'admirateurs
mais as-tu de vrais amis ?
Tu es craint,
mais es-tu vraiment aimé ?
Les gens t'encensent devant toi,
mais ils te poignardent dans le dos !
Finalement ta cour est composée
de faibles, de peureux, de lâches, de veules;

de couleuvres, de serpents !
Auras-tu vraiment le courage de t'entourer
de vrais hommes,
d'hommes debout ? "

Son premier réflexe
fut de vouloir sauter
sur cet "ami"
qui le démasquait
si brutalement.

Puis, il se mit à réfléchir:
"Peut-être n'est-ce pas trop tard pour bien faire,
et pour bien être ! "
Il se mit à faire la guerre
à son arrogance,
à sa suffisance,
à sa fatuité !
Il s'arma d'humour et d'humilité,
ces deux petites soeurs jumelles !
Il retrouva vite l'amour de ses amis !
Il est heureux !
Et il vieillit tellement mieux !
Et les autres aussi !

Christian et Sébastien

Celui qui veut
être le premier
se fera le dernier.

Marc 10, 44.

Avouer qu'on est
vulnérable
n'est jamais
chose facile.

Paula Ripple

J'ai deux voisins
qui sont deux copains:
Christian, six ans,
Sébastien, six ans et demi.
Notez bien que Sébastien tient beaucoup
à ses six mois de "plus vieux" que Christian.
Deux amis charmants:
Christian,
cheveux blonds, yeux bleus, sourire étincelant;
Sébastien,
cheveux châtains grands yeux noirs,
sourire narquois d'un petit diablotin !
Ce sont des amateurs de cartes...
Ils jouent passionnément à la "bataille".
Ils me lancent régulièrement des défis
et sont toujours sûrs de gagner
avant même d'avoir jeté une carte sur la table !
D'ailleurs, il "faut" qu'ils gagnent !
autrement, "c'est pas juste ! "
Quand ils jouent avec moi,
ils sont, disons, "raisonnables":
la partie est relativement calme,
et ils me concèdent que je ne triche pas.
Si, par malheur, je gagne,
"ils n'ont pas été chanceux";
si, par bonheur, je perds,
"je te l'avais bien dit que j'étais meilleur que toi ! "
Quand ils jouent ensemble
sur ma table de cuisine,
il faut que j'arbitre,
car la véritable "bataille"
n'est pas entre les cartes
mais entre deux "caractères" !
C'est un véritable combat de petits coqs:
les "gros" yeux apparaissent vite,
puis les injures,

les gros mots,
les jurons avec force gestes,
coups de poings sur la table,
bras en l'air;
l'adversaire est pointé du doigt,
de l'oeil et de la bouche !
Ça finit ordinairement
par un "je ne jouerai plus avec toi"
prononcé évidemment par celui qui va perdre !
Je vous assure qu'il n'est pas facile
de trancher ces combats
et d'arbitrer ces batailles.
C'est que ni Christian
ni Sébastien
ne veulent perdre,
ni l'un ni l'autre ne veut être second:
Ils sont nés gagnants,
premiers tout le temps
et tout de suite !

Un jour,
j'ai demandé à chacun d'un air très indifférent:
"Ça t'arrive de te fâcher ?
Tu fais des belles colères des fois ? "
Alors Christian m'a répondu,
candide, en deux temps:
"Oui, ça m'arrive et tu sais pourquoi ?
c'est parce que je suis un grand orgueilleux"
(il m'a dit plus tard
que c'est sa mère qui lui avait "révélé" cela)
et il a ajouté: "Puis, toi, tu te fâches jamais ? "
Ça m'a fait réfléchir !
À la même question,
Sébastien a répondu suave:

"Oui, je me fâche
parce que j'aime pas perdre...
puis, toi t'aimes pas ça quand tu gagnes ? "
Que dire après cela ?

Un beau jour d'été,
alors que j'étais "à quatre pattes"
dans l'une de mes plates-bandes,
occupé à sarcler des fleurs,
mes deux amis me payèrent une petite visite.
Ils se tenaient par la main
et affichaient leur sourire des dimanches.
Ils m'abordèrent en me disant
qu'"elles étaient bien belles mes fleurs"
et que je me donnais bien du "trouble" pour elles !
À leur façon de me regarder,
je me dis qu'ils devaient me cacher quelque chose !
Je ne tardai pas à le savoir !
En fait, les deux petits "diables"
venaient de se battre,
non pas aux cartes,
mais aux poings et aux pieds,
et avaient choisi de me prendre pour juge:
je devais décider lequel avait eu raison sur l'autre.
Avec humour, amour et patience,
je les écoutai me raconter leur dernière escarmouche !
Ce ne fut pas facile:
ils parlaient souvent en même temps
(parler, c'est beaucoup dire !
la plupart du temps, ils criaient !),
puis, ils se mirent à se lancer des bêtises par la tête
et auraient de nouveau passé aux coups
si je n'étais intervenu !
(En mon for intérieur,
je me dis qu'ils feraient d'excellents plaideurs

et ils me rappelaient quelques beaux souvenirs
du temps où j'avais leur âge !)
À vrai dire,
il m'était difficile de trancher le litige
et de donner raison à l'un ou à l'autre !
À l'ardeur de leurs plaidoyers
et à la puissance de leurs arguments,
je compris qu'ils avaient à peu près livré un match nul
mais je les savais trop fiers
pour accepter une telle décision !

Alors, il me vint subitement une idée.
Le long de ma maison,
j'avais planté des tournesols et des passeroses.
J'amenai mes deux copains
auprès de ces grandes fleurs.
"Christian, tu me fais penser à ces grands soleils.
Regarde,
ils sont blonds comme tes cheveux...
ils sont aussi grands que toi...
vois comme ils brillent dans la lumière
comme tes yeux...
Ils ont le coeur grand comme le tien...
tu ne trouves pas qu'ils sourient
avec leur grande bouche dorée ! "
Bien sûr, Christian y alla d'un grand éclat de rire,
du rire cristallin
du petit gars heureux et content !
Ah ! ces rires merveilleux d'enfants !
Mais, tout de suite, Sébastien répliqua:
"Puis, moi ? "
"Toi, lui dis-je,
tu ressembles aux passeroses !
Regarde,
elles sont un peu plus hautes que mes soleils

(les six mois de plus de Sébastien !
vous vous souvenez !);
leurs feuilles sombres sont comme tes cheveux !
et puis les fleurs de toutes les couleurs,
c'est le noir de tes yeux,
le rose de tes joues
et le blanc de tes dents."
Alors, Sébastien manifesta son contentement
en riant aux éclats lui aussi;
en plus il tapa dans ses mains
et bondit dans les airs.
Mes deux compères étaient réconciliés, bravo !

Mais, ce n'était pas fini.
Nous nous trouvions tous les trois à la "frontière"
des tournesols et des passeroses.
"Regarde, Christian
et toi aussi, Sébastien !
Vous voyez,
j'ai pris mon ciseau et j'ai coupé des pieds
de passeroses et de tournesols."
"Pourquoi ? " de dire mes deux compères.
"Parce que je voulais que les deux vivent en paix !
Les deux ont droit de grandir,
mais pas aux dépens de l'autre;
tu vois, Christian,
si j'avais laissé pousser les soleils à leur guise,
ils seraient déjà rendus chez les passeroses
et, tu vois bien, Sébastien,
que ça aurait été pareil pour les passeroses
qui voulaient s'étendre sur le terrain des soleils ! "
Alors, Christian s'écria:
"Ça aurait pas été juste pour les soleils ! "
Et Sébastien de répliquer:
"Puis, les passeroses, elles ! "
La bataille faillit reprendre !

On se retrouva calmé,
autour d'un jus d'orange
et de quelques cubes de sucre à la crème
que ma soeur m'avait heureusement donnés la veille !
Ce fut Christian-le-Blond
qui reprit le dialogue:
"T'as compris, Sébasse,
faut s'arranger pour vivre ensemble;
tu peux pas toujours gagner ! "
Et Sébasse de reprendre:
"Chri-chri, toi non plus ! "

Heureuses batailles d'enfants,
apprentissage de la vie d'adultes
autrement plus terrible !
Les enfants toujours gagnants,
éternels premiers à tout prix,
deviendront des montres plus tard, hélas !

Le plus drôle,
ce fut quand les deux mamans
me téléphonèrent dans la veillée:
"Qu'est-ce que c'est que ça ?
mon Christian dit qu'il est un soleil...
mon Sébastien se prend pour une passerose ! "
Alors, ce fut deux merveilleux téléphones-causeries
avec les "maternelles"
de ces deux petits cabotins !

Amable

*Ne fais pas
aux autres
ce que
tu ne veux pas
qu'on te fasse.*

Tobie 4, 15.

Si Dieu nous imitait,
nous serions
tous balayés
et la terre serait vite
un désert !
Dieu, lui, met
sa puissance
à ne pas écraser,
à patienter.
Il est le Dieu
des oeuvres lentes
et petites.

René Latourelle

Amable conduisait son auto
comme si toute la route lui appartenait:
à cheval sur la ligne blanche !
Pour le rencontrer ou le dépasser,
il fallait klaxonner avec insistance
et à distance !

Sur le trottoir, c'était pareil !
Vous vouliez le doubler à gauche,
il allait sur la gauche !
Vous essayiez à droite,
invariablement, il prenait la droite !
C'est comme s'il avait eu un radar dans le dos
pour vous détecter !

Au bureau,
sa radio jouait à tue-tête
au grand déplaisir de ses compagnons de travail !
Il amait ça, lui !

Quand il entrait à son appartement,
il était incapable de ne pas claquer la porte !
Ses voisins disaient: il est entré chez lui !
Mais, quand il entrait à minuit
et qu'il les réveillait,
ses voisins disaient autre chose !

Il avait l'habitude
de fumer le cigare dans son auto !
L'hiver, sa voiture devenait un bouge...
et ses passagers, étouffés, voyaient rouge !

Il aimait être propre:
une douche à chaque jour !
Bravo !
Mais, quand il se douchait
à minuit ou à six heures du matin,

son voisin d'en-dessous
en voulait au confort moderne !

Il oubliait presque toujours
l'anniversaire de sa femme,
de ses enfants, de ses amis,
mais il tempêtait
quand on oubliait le sien !
L'art du bonjour,
        du sourire,
        de la poignée de main,
        du geste gratuit...
il ne connaissait pas:
ce n'était pas un artiste !

Et patati, patata, et cetera, et cetera !
Amable ne portait vraiment pas son nom !

Un jour,
ses amis, ses proches,
qui l'aimaient bien, malgré tout,
décidèrent de "compléter son éducation".

Un matin,
il trouva dans son courrier
un cadeau anonyme, un livre:
"Comment se faire des amis" !

En allant dîner,
sa secrétaire lui demanda, naïve,
s'il était malade,
"puisqu'il marchait tout croche sur le trottoir" !

En voiture,
son adjoint lui fit remarquer
d'un air détaché
mais coup sur coup

qu' "il ne fumait jamais en auto,
parce que ça faisait pleurer les yeux de sa femme"
et que "les lignes blanches,
c'était bien commode
pour faciliter la circulation" !

En rentrant chez lui,
sa femme le supplia
de ne plus faire claquer la porte:
ça la "faisait sursauter" à chaque fois,
et elle était "déjà bien assez nerveuse comme ça ! "

Cette nuit-là,
Amable eut de la difficulté à s'endormir:
le film de la journée se déroulait sans cesse devant lui.
Il se mit à réfléchir:
il n'eut pas besoin de beaucoup de colle
pour relier les faits de la journée.
"Ouais, ouais, ouais", se dit-il.

Les jours qui suivirent,
il commença à changer ses habitudes:
il marchait presque sur la pointe des pieds,
il fermait les portes comme un détective,
il cessa de fumer: "C'était meilleur pour sa santé ! "
il embrassa sa femme à chaque retour de travail,
il se mit à faire des cadeaux, à sourire...
Ô merveille !
pour les autres, qui n'en revenaient pas !
et pour lui aussi qui fut beaucoup plus heureux !

Amable se mit à devenir aimable !

Si un frère
ou une soeur
sont sans vêtements,
s'ils manquent
de nourriture,
et que vous leur
dites:
"Allez en paix,
chauffez-vous,
mangez
à votre faim",
sans pour autant
rien leur donner
de ce qu'il leur faut,
à quoi cela sert-il ?
Une foi
qui n'a pas de mains
est une foi morte.

Jacques 2, 15-17.

croire

Celui qui dit
et ne fait pas
s'enfonce tôt ou tard
dans l'hypocrisie.

André Sève

Louis

*Ne savez-vous pas
que votre corps
est le temple
de l'Esprit ?*

1 Corinthiens 6, 19.

Nul
n'est si proche
de nous
que Dieu.

Robert Guelluy

Il est toujours joyeux.
Il a toujours un beau sourire sur les lèvres
et un bon mot pour chacun.

On ne l'a jamais vu se fâcher.
Et pourtant,
il a vécu des situations
où d'autres auraient tout cassé,
les meubles et les personnes.

Un jour,
je me suis avisé de lui demander
le secret de sa bonne humeur.
Je me disais:
peut-être est-il parmi ces chanceux
qui ont un tempérament très calme ?
Il m'a regardé et a souri doucement:
"Comment veux-tu que je me fâche ?
Le Seigneur habite
dans le coeur de chaque personne.
Je ne peux tout de même pas
me mettre en colère contre le Seigneur ! "

Et j'ai compris.
Et j'ai, à mon tour,
loué le Seigneur
pour la foi merveilleuse
qu'Il met au coeur des gens.

Pierrette

*À leur retour,
les apôtres
se réunirent
auprès de Jésus
et ils lui racontèrent
tout
ce qu'ils avaient fait.*

Marc 6, 30.

Je crois
de plus en plus
que la chance
d'un homme,
c'est de pouvoir
fréquenter Jésus.

André Sève

Quand elle revient de son travail
juste avant de souper,
Pierrette arrête à l'église,
qui se trouve sur son chemin.

Pierrette a beaucoup d'ouvrage
qui l'attend à la maison.
Mais, elle estime
que ce n'est pas du temps perdu
que d'arrêter saluer le Seigneur.

Elle s'asseoit toujours
dans le dernier banc à gauche.
La plupart du temps,
elle raconte à Dieu sa journée,
elle lui parle de sa famille,
elle lui dit ses joies et ses peines.
Quelquefois, elle est si fatiguée
qu'elle n'a même pas la force de parler.
Il arrive même qu'elle s'endort
platement devant le Seigneur.

Au début,
quand le sommeil l'emprisonnait
sur son banc,
elle était confuse
et s'excusait devant son Dieu.
Mais, avec le temps,
elle a compris
que ce qui importait
ce n'était pas d'être éveillée ou endormie
devant Dieu
mais tout simplement d'être là
en sa présence.
Un peu comme quelqu'un
qui bronze au soleil,

qu'il coure ou se démène
ou qu'il soit étendu sans bouger.
Ce qui importe
c'est d'être là,
un point, c'est tout.

Depuis ce jour,
Pierrette ne rate jamais
sa séance quotidienne d'ensoleillement divin.
Qu'elle parle ou qu'elle dorme,
elle se tient là devant son Dieu.
Il faut la voir
au travail et à la maison:
elle rayonne de joie et d'amour.
Son bronzage saute au yeux
ou plutôt au coeur de tout le monde.
Elle transparaît le Seigneur.

Noël

Et paix sur la terre
aux hommes
qu'il aime.

Luc 2, 14.

Nous sommes mis
au défi
d'engager nos vies
pour la cause
du Christ.

Martin Luther King

Paix à vous, les enfants !
Jésus vous est donné
pour éblouir vos beaux yeux
et pour égayer vos ébats...

Paix à vous, les parents !
Jésus vous est donné
pour soutenir vos efforts
et embellir votre amour...

Paix à vous, les détenus !
Jésus vous est donné
pour briser vos lourdes chaînes
et fabriquer votre liberté...

Paix à vous les sans-travail !
Jésus vous est donné
pour continuer le combat
et maintenir votre espoir...

Paix à vous, les personnes âgées !
Jésus vous est donné
pour rafraîchir vos journées
et vous rapprocher de lui...

Paix à vous, les pasteurs !
Jésus vous est donné
pour le donner aux gens
et marcher avec eux...

Paix à vous, les jeunes !
Jésus vous est donné
pour réaliser vos meilleurs rêves
et tremper votre enthousiasme...

Paix à vous, les malades !
Jésus vous est donné
pour apaiser vos douleurs
et appuyer votre espérance...

Paix à vous, les handicapés !
Jésus vous est donné
pour habiter votre coeur
et vous réaliser en plénitude...

Paix à vous, les souffrants !
Jésus vous est donné
pour vous soulager
et vous encourager...

Paix à vous, les gouvernants !
Jésus vous est donné
pour servir le bien de tous
et promouvoir la justice...

Paix à vous les pécheurs !
Jésus vous est donné
pour vous pardonner
et vous faire vivre...

Paix à vous, tous les autres !
Jésus vous est donné
pour éclairer votre route
et vous aimer jusqu'au bout...

Le mystère de la Trinité

*Celui qui aime
est né de Dieu
et connaît Dieu.*

1 Jean 4, 7.

**Dieu est amour.
rien qu'amour.**

René Latourelle

Quand j'étais haut comme trois pommes,
il arrivait de temps en temps
que mes parents me disaient:
"Ça, c'est un mystère,
ne cherche pas à comprendre."

Et puis, quand je suis allé à l'école,
on m'a appris
ce que c'était qu'un mystère:
"Une vérité
qu'on ne peut pas comprendre,
mais qu'on doit croire,
parce que c'est Dieu qui l'a révélée."

Mais, avec le temps,
j'ai fini par penser
qu'un mystère
c'est avant tout un secret de Dieu.
Un secret que je ne comprends bien
qu'avec l'intelligence de mon coeur...
à mesure que nous devenons plus intimes
Dieu et moi.
Comme deux amoureux !

Car, ceux qui s'aiment,
on le sait bien,
partagent entre eux seuls leurs secrets.
Et, plus ils s'aiment,
plus ils se connaissent,
plus ils pénètrent dans l'intimité de l'autre.

C'est peut-être cela
que ma mère veut me rappeler parfois
quand elle me dit:
"Tu es encore trop jeune

pour comprendre cela !
Quand tu auras soixante ans,
tu comprendras peut-être ! ''

Beaucoup de savants ont cherché à comprendre
le mystère de la Trinité.
Ils ont écrit de gros livres
difficiles à lire
et donné de nombreux cours
difficiles à suivre.
Ils se sont arraché le reste de leurs cheveux
à essayer de saisir
une parcelle de ce grand mystère.

Et pourtant,
il aurait suffi d'aimer !
Seuls, ceux qui ont accepté
d'être aimés par Dieu et de l'aimer
y ont réussi.

Dieu se fait connaître
aux petits, aux humbles, aux simples.
Dieu se donne à aimer et à comprendre
dans le dialogue intime et amoureux
de la prière,
de la présence à l'autre,
du silence fécond,
de l'écoute attentive.

Et alors,
on arrête de jongler avec les concepts
de nature et de personnes,
d'unité et de trinité.

Et, petit à petit,
on découvre, émerveillé,
que Dieu n'est rien qu'Amour,

qu'il ne peut être que trois,
comme l'amour éclaté
du père, de la mère et de l'enfant.
Petit à petit,
à mesure que l'on aime
et que l'on est aimé.
Car, Dieu s'apprend,
non pas d'abord avec la tête,
mais avec le coeur !

Trinité très sainte,
viens en nous.
Habite-nous.
Vous,
Père, Fils et Esprit,
ne nous délaissez pas.
Venez faire votre demeure
en notre coeur.

Toi, Père très saint,
nous sommes tes enfants.
Garde-nous près de toi,
dans la sécurité de ta force,
dans la vérité de ta sagesse.

Toi, Jésus, Christ,
nous sommes tes petits frères.
Tiens notre main en ta main.
Marche avec nous,
à notre pas,
sur tous nos chemins.

Et toi, Esprit d'amour,
éclaire-nous de ta lumière,
réchauffe-nous de ton feu,
ravive-nous de ton souffle.
Et surtout,
ô Dieu, trois fois saint,
fais-nous contempler l'invisible.

Qu'il en soit donc ainsi !

Amen.

S'abandonner

Ne vous inquiétez
pas...
Votre Père,
qui est
dans les cieux,
sait
ce dont vous avez
besoin.

Matthieu 7, 31-32.

La prière consiste
à être en présence
de Dieu
les mains ouvertes
et le coeur ouvert.

Pierre Van Breemen

Regarde le petit enfant
qui marche
en tenant la main de son père.
Il n'a pas peur un seul instant:
il a confiance,
la confiance de celui qui se sait aimé.
Il sait, de science certaine,
que son père ne le conduira pas dans le fossé.
Et, aveuglément,
il marche,
guidé,
soutenu,
aimé.

Le jour où nous aurons compris
qu'il en est ainsi avec notre Père du ciel,
nous aurons fait un bon bout de chemin
sur la route de la foi.
Notre Père nous aime.
Il ne nous conduira pas
dans le ravin,
mais au chemin de la paix et de la joie.
Tout est affaire de confiance aveugle,
de non-résistance au désir divin.

Seigneur,
je suis en sécurité avec Toi.
Donne-moi de sentir
ta main dans la mienne
et surtout
de ne pas la lâcher
les jours
où j'aurais envie
d'en faire à ma tête,
de conduire ma vie sans Toi.
Que je m'abandonne
à ta Parole,
aux signes que tu me fais chaque jour,
à ton amour paternel.

Amen.

Sylvain

*Si quelqu'un
m'aime,
il gardera ma Parole.
Mon Père l'aimera
et nous viendrons
en lui
et nous ferons
chez lui
notre demeure.*

Jean 14, 23.

**Le Seigneur
est au-dedans
de nous...
et il parle !**

C.-M. Himmer

Tous les soirs,
avant de se coucher,
Sylvain s'asseoit dans sa berceuse.
Il enlève ses souliers,
ferme doucement les yeux,
et pose ses deux mains sur les bras de sa chaise.

Puis, il se met en présence de Dieu
qui habite son coeur.
Il sait que son Seigneur
est présent à l'intérieur de lui-même,
au plus intime de sa personne.
Il dit simplement:
"Seigneur,
je suis ici avec toi
et toi aussi tu es avec moi.
On est bien ensemble.
Je sais que tu m'aimes
et tu sais que je t'aime.
Si tu as quelque chose à me dire,
je t'écoute."

Puis, il se tait et il attend.
Il reste ainsi
en silence
dix minutes,
quelquefois quinze ou vingt.

Il n'entend pas le Seigneur
comme il entend son voisin.
Mais, peu à peu,
de soirs en soirs,
le Seigneur lui fait connaître
ce qu'il attend de lui.

Sylvain est en paix.
Il a appris
à vivre avec son Dieu intérieur.
Il a aussi appris
que la prière
consiste moins à parler
qu'à écouter tranquillement
le Seigneur.
Il a enfin appris
qu'il fait bon
de se reposer tout doucement
de sa journée
en présence de Celui
avec qui il a déjà commencé
son éternité.

"Seigneur,
prends possession
de moi
à tel point que
toute personne
que j'approche
puisse sentir
ta propre Présence
en moi."
Newman

Y aura-t-il un coin du ciel ?

*L'accomplissement
parfait
de la loi,
c'est l'amour.*

Romains 13, 10.

Au moment
de la mort,
nous serons jugés
non pas sur notre
rendement de travail
mais sur le poids
d'amour
que nous y aurons
mis.

Mère Teresa

Toute sa vie n'a été qu'une longue suite
de souffrances.
Du début à la fin,
des nuages,
et souvent, trop souvent,
des orages.
Pas étonnant qu'elle ait trouvé refuge
dans l'alcool.
Il faut bien oublier
une vie "bête à mourir".

Mais, toute sa vie,
elle a pratiqué le partage.
Elle n'a pas attendu
d'avoir un portefeuille épais "comme ça"
pour commencer à faire la charité.
Elle n'a pas attendu
d'avoir un logis bien meublé
pour accueillir les clochards.
Elle n'a pas attendu
d'avoir un garde-manger rempli à déborder
pour donner à manger aux affamés.
C'est peut-être
parce qu'elle a tant souffert
qu'elle comprend et aime si bien
ceux qui souffrent.

Quand elle se présentera devant le Père éternel,
y aura-t-il un coin de ciel
pour cette femme étonnante ?
mais oui, c'est sûr !

Il n'a pas eu beaucoup de chance
dans la vie.

À quatorze ans,
son père l'a mis à la porte
pour faire de la place
à une autre que sa mère.
Et jusque là,
il avait eu plus que sa part
de coups de poings et de coups de pieds.
Alors, il s'est mis à traîner sa vie,
quêtant ici et là
nourriture, vêtement et logis.
Il n'a pas tardé
à se retrouver dans des "gangs"
qui l'ont initié
à la boisson, à la drogue, au vol.
Puis, on l'a ballotté
d'un foyer d'accueil à l'autre.
Une vie sans amour,
une vie sans but,
une vie "bête à pleurer".

Et pourtant,
quand vous le voyez,
il a toujours un sourire à donner,
et ses yeux vous disent tout de suite
qu'il a confiance en vous.
Et, s'il peut faire quelque chose pour vous,
il le fera sans hésiter
et de grand coeur.

Quand il frappera à la porte du paradis,
y aura-t-il un coin du ciel
pour ce grand coeur ?
Mais oui, c'est sûr !

Elle a un caractère de broche à foin.
Ses yeux vous mitraillent
avant même que vous ayez ouvert la bouche.
Sa bouche est toujours prête à mordre
et ses griffes sont toujours sorties.
Elle ne connaît pas
la douceur des paroles tendres
et la fraîcheur des gestes affectueux.
Elle n'a peur de rien.
Et la personne qui va lui en imposer
n'est pas encore née.

Mais, cet ours redoutable
perd tous ses moyens
devant un enfant qui pleure.
Elle le prend dans ses bras,
le serre contre son sein
et pleure avec lui.
Ce porc-épic, bourru et bougonneux,
se dévoue comme dix
pour dépanner les "morveux" du quartier.
Cette tigresse, grogneuse et bourrue,
a toujours assez de soupe dans son chaudron
pour en donner aux affamés
et assez d'argent dans sa sacoche
pour dépanner les pauvres.

Quand elle franchira la porte du paradis,
y aura-t-il un coin du ciel
pour cette lionne au coeur d'or ?
Mais oui, c'est sûr !

Il a passé sa vie à essayer.
Essayer d'être meilleur,
essayer de ne plus être ivrogne,
essayer de ne plus retomber.
Il a passé sa vie à recommencer,
à dire: "Cette fois-ci, c'est la dernière fois."
Mais, toujours, il a été incapable
de ne pas recommencer.
Il n'a jamais connu la griserie du succès,
ni la joie de la guérison.
Mais, toujours, il a connu l'effort,
le terrible effort de repartir à zéro.
Souvent, il s'est découragé,
il s'est piétiné, écrasé, frappé.
Il ne pouvait accepter d'être ainsi.
Son épreuve, son esclavage, son "écharde",
il ne les prenait pas.

Mais, il a aussi passé sa vie
à dépanner tout le monde.
C'est lui qui réparait la blomberie d'Alice,
c'est lui qui entretenait la toiture de Pierrette,
c'est lui qui tondait la pelouse du vieil Alfred,
c'est lui qui allait reconduire la petite Francine
à l'école, les jours de pluie.
C'est lui qui...
Et cela avec le sourire, toujours,
et sans se faire payer, jamais.

Quand il arrivera devant saint Pierre,
les mains pleines de bonnes oeuvres
et le coeur encore tout chaud d'affection,
y aura-t-il un coin du ciel pour ce bon Samaritain ?
Mais oui, c'est sûr !

Ce qui fait
la couronne
des vieillards,
c'est leur riche
expérience;
ce qui fait leur fierté,
c'est leur crainte
du Seigneur.

Siracide 25, 6.

vieillir

Lorsque
la compétition de la vie
est terminée,
lorsque s'annonce
l'attente
de l'après-vie,
l'homme devient
un sage.

Paul David

271

Il y a quelques siècles...

Par-dessus tout,
qu'il y ait l'amour !
Colossiens 3, 14.

Nous apprenons
à aimer
seulement
en essayant
d'aimer.
Paula Ripple

La vie
avec ses nombreux détours
et son humour,
l'a amené à travailler avec des jeunes.
Il faut dire
que, lui, il n'est plus précisément jeune.
Il pourrait facilement
être leur père à tous
et même le grand-père de quelques-uns.

Et les jeunes,
qui l'aiment bien,
le taquinent à qui mieux mieux:
"Quand tu avais notre âge,
il y a quelques siècles,
te souviens-tu..."
"As-tu déjà subi
le test du carbone 14 ? "
(ce carbone qui, vous le savez,
sert à déterminer l'âge des fossiles !)
"Ta face a le profil grec:
elle tombe en ruines ! "
"Est-ce que l'automobile existait
dans ton temps ? "
Et patati, et patata.

Il est vrai
que son physique
fait "objet de musée"
au milieu de ces frimousses toutes neuves.
Mais, il ne s'en formalise pas pour autant.
Il est bien avec ces jeunes,
il les aime.
Et, eux le lui rendent bien.
Ils aiment à s'appuyer sur lui
comme sur un bon "poteau"
chargé d'expérience, de compréhension,

de sagesse et d'amitié.
Il aime s'abreuver
à leur spontanéité,
à leur dynamisme,
à leur joie de vivre.
Ils sont, pour lui,
bien plus qu'un "bâton de vieillesse",
ils sont une vraie "fontaine de jouvence".

Ave eux,
il vieillit bien.
Avec lui,
ils grandissent bien.
Et tous, à leur manière,
sont de bons et grands vivants,
qui poussent bien
au soleil de l'amour.

Mon grand-père

*Dieu aime
celui qui donne
avec joie.*
II Corinthiens 9, 7.

Le regard
de quelqu'un
qui m'aime
exalte ma liberté
et aide
à l'accouchement
de l'homme véritable
que je suis:
il est créateur.

J. Sarano

Mon grand-père était un bon vivant.

À cinquante ans,
il avait encore tous ses cheveux
mais ils étaient tout blancs.
C'est pourquoi
les gens l'appelaient "Ti-Blanc".

Plus il avançait en âge,
plus il donnait l'impression
d'aimer la vie.
Il n'avait rien d'un "vieux".

En bon cultivateur,
il se levait et se couchait
avec "la barre du jour".
Il vous abattait de ces journées,
à croire qu'il était un géant.
Car, pour moi,
qui étais un "petit gars de la ville",
il était tout un personnage.
Il m'amenait avec lui aux champs
"faire les foins",
comme il disait.
De temps en temps,
il prenait dans ses mains caleuses
une touffe de trèfle ou de sarrazin:
"Sens-moi ça,
mon jeune,
me disait-il.
Là-dedans,
tu as tout le soleil du monde.
C'est plein de vie, ça."

Et puis,
quand arrivait le temps des récoltes,
il m'amenait

ranger les bottes d'avoine et de blé.
Souvent,
il émiettait entre ses doigts
quelques épis:
"Goûte à ça,
c'est de la santé.
Ça vaut tous les pains blancs
de la ville."

Quand il venait nous visiter
à la ville,
il avait toujours quelques surprises
pour les enfants:
des bâtons forts,
des ballons,
des jujubes.
Je vois encore
l'éclair de joie
qui brillait dans ses yeux bleus
chaque fois qu'il nous faisait plaisir.
Il savait tirer sa joie
des choses simples de la vie.

Le dimanche,
après la grand'messe,
il demeurait longtemps
sur le perron de l'église,
à "jaser" avec les gens.
Il n'était pas pressé.
Il prenait le temps de vivre.
Il était libre.

Il conduisait
ses affaires familiales
et ses affaires financières

comme un patriarche.
Rien ne l'énervait,
il trouvait une solution à tout.

À l'ombre de ce grand arbre,
il faisait bon vivre
et grandir.
Il n'était pas très instruit
mais c'était un sage.
Il était fin,
au sens le plus vrai du mot.

Je ne l'ai jamais vu malade.
Ses journées étaient pleines.
Il avait toujours
un tas de choses à faire.
Comme tout le monde,
il vieillissait.
Mais,
sa vieillesse était belle et féconde.
Il n'a jamais connu l'ennui
ni la dépression.
Plus il avançait dans la vie,
plus il vivait.

C'est comme cela
que j'aimerais vivre,
moi aussi.

Et vous ?

La dame au miroir

Maintenant que
je suis vieux,
ne me rejette pas;
mes forces
diminuent,
ne m'abandonne pas.

Psaume 71, 9.

Je suis tenté
de regarder
en arrière.

Newman

Sitôt levée,
elle s'asseoit devant son miroir.
Elle regarde son visage.
Des rides
qu'elle cache de plus en plus difficilement.
Des poches sous les yeux
qu'elle voudrait ne pas voir.
Les lèvres qui s'affaissent
aussi sûrement qu'imperceptiblement.
Elle vieillit...
et cela l'attriste un peu plus
chaque jour.
Elle porte sa main à ses joues,
sa main,
qui, elle aussi, accuse
l'irréparable passage du temps.
Peau transparente et mince
comme la soie,
veines bleuies beaucoup trop apparentes.
Et puis,
elle prend sur la table
cette teinture
qu'elle doit utiliser
pour faire oublier ses cheveux blanchissants.
Elle soupire
et ferme les yeux.

Elle revoit,
en un clin d'oeil,
le temps
où rien ne la fatiguait,
le temps où elle faisait tourner les têtes
sur son passage,
le temps

où elle n'avait pas besoin
de poudre, de fard, de mascara
pour paraître belle et jeune.

Elle n'accepte pas de vieillir.
Alors, elle masque son vieillissement.
Mais, personne ne s'y trompe,
surtout pas elle.
Elle sacrifie l'être au paraître
Elle voudrait arrêter le jours,
suspendre le cours du temps.
Elle sait bien pourtant
que cela ne peut se faire.
Comme tout le monde,
elle vieillit
d'une journée par jour
et d'un an par année.
Sa vie se passe à la mode "rétro":
elle regarde en arrière,
elle regrette,
elle vit de souvenirs et de soupirs,
elle est nostalgique et mélancolique...
Et elle ajoute des rides à sa figure.

Alors que la vie est toujours plus belle
au présent.
Car, le présent n'a pas d'âge.

Une belle petite vieille

*Je vous soutiendrai
jusqu'à vos cheveux
blancs.*

Isaïe 46, 4.

L'école
de la souffrance
ne se compare
à aucune autre
expérience humaine.

Paula Ripple

Tout n'a pas toujours été facile
pour elle.
Elle a connu
la maladie longue et souffrante,
plus d'une fois.
Elle a connu
l'inquiétude d'une mère
qui élève dix enfants en les aimant.
Elle a connu
la douleur d'une épouse
qui aime son mari infidèle.
Elle a connu
l'amertume
de la solitude,
de l'abandon
et même de la trahison.
Elle a connu
la colère et la tristesse
des gens exploités,
manipulés, trompés.
Elle en a braillé, ragé, bavé...
Pendant de longues années,
sa vie ressemblait à une mer agitée,
parfois furieuse,
souvent démontée.
Et puis,
petit à petit,
avec l'âge,
le calme est revenu.
Plus les ans lui donnaient
de l'expérience,
plus elle devenait sage.

Aujourd'hui,
c'est merveille de la voir.
Depuis une bonne dizaine d'années,

son apparence extérieure ne change plus.
On dirait qu'elle a cessé de vieillir.
Elle est toujours "égale",
comme elle dit si bien
dans son langage savoureux.
Pour ceux qui la connaissent
depuis longtemps
et qui la regardent vivre,
elle est devenue
une "belle petite vieille".
Il fait bon d'être avec elle:
c'est comme si elle vous posait dans l'existence.
Elle nous communique
bien vite
la musique de son coeur.
Et elle nous bronze
aux rayons
de son soleil intérieur.
Rien qu'à sa façon
de vous dire bonjour,
de vous accueillir,
de vous sourire,
elle vous donne le goût de vivre.
C'est une grande artiste:
elle a appris l'art de vieillir en beauté.
Et elle nous l'apprend si bien.

Henri

Quelle belle chose
que le jugement
pour des cheveux
blancs !

Siracide 25, 4.

Sans ascèse,
nous n'excellerons
en rien.

Erich Fromm

Henri sait
qu'il ne rajeunit pas.
La vie va par en avant,
elle ne recule pas.
Mais, Henri refuse
de vieillir
plus vite qu'il ne le faut.
Il se tient en forme
le plus possible.
Il fait de l'exercice.
À tous les deux matins,
il court quelques minutes.
L'hiver,
il fait du ski de randonnée.
L'été,
il fait plusieurs bonnes longueurs
à la piscine.
Il fait même un peu de vélo.
Et puis,
en tout temps, il marche.
De longues marches,
seul
ou avec sa femme.
Il vieillit bien.

Il a commencé
à surveiller
son alimentation et son sommeil.
Il ne s'en porte que mieux.
Et les autres aussi
qui profitent
de sa bonne humeur
et de sa bonne forme.

Le "vieux"

L'homme ressemble
à un souffle,
et ses jours
à une ombre
qui passe.

Psaume 144, 4.

Il est réservé
à la souffrance
de nous faire
réfléchir
en nous-mêmes.

Newman

Quand, pour la première fois,
Ernest s'est fait appeler "le vieux"
par ses neveux
il ne l'a pas pris.
"Tout de même, s'est-il dit,
je ne suis pas si vieux que cela."
Sa fierté en a pris un coup.
Il a voulu répliquer
tout de suite
à ces jeunes "polissons".
Mais, il a dû
tout aussi vite
s'avouer vaincu
quand ils lui ont proposé
de jouer à la balle avec eux.
Il n'a pas duré
deux manches.
Il avait des crampes
dans les mollets,
son coeur et ses poumons "pompaient"
comme une locomotive
et, suprême humiliation,
il fut retiré
sur trois prises,
au grand "sourire" des jeunes.

Alors, il s'assit sur le banc
et se mit à réfléchir.
Il se rendit compte
qu'il n'avait plus vingt ans.
Il s'essoufflait
rien qu'à monter dix marches.
Son estomac ne digérait plus,
depuis des années
les hot-dogs, les hamburgers,
la "poutine", les frites,

qui font les délices des jeunes.
Il prenait plus de temps
à s'endormir.
Il récupérait moins vite.
Ses cheveux grisonnaient,
des rides creusaient son front.
Décidément,
c'est vrai qu'il vieillissait.
Triste réalité,
dure réalité.
On n'a pas tous les jours vingt ans,
dit la chanson.
Comme c'est vrai.

"D'accord, je vieillis.
Mais, je ne suis quand même pas
un "petit vieux".
Il avala
un filet de salive
qui s'était formé
au coin de ses lèvres.
Il se leva
et partit "jouer"
avec les gens de son âge...
à la pétanque,
au croquet,
aux cartes...

Vieillir ensemble

*Toute l'eau
de l'univers
ne saurait éteindre
l'amour
et les fleuves
ne pourraient
le submerger.*

Cantique 8, 7.

L'amour
est la puissance
la plus durable
du monde.

Martin Luther King

Ils avaient fêté leurs noces d'or
déjà depuis belle lurette !
Ils avaient vécu leur vie
tant bien que mal,
avec ses hauts et ses bas.
Plutôt bien que mal,
à vrai dire.
Ils avaient leurs enfants,
leurs petits-enfants
et même quelques petits-petits-enfants.

Et le soir,
après souper,
quand ils se retrouvaient seuls
à la maison,
ils sortaient
et allaient s'asseoir
côte à côte
dans le jardin,
à l'ombre d'un grand érable rouge.
Ils ne se parlaient pas:
après plus de cinquante ans
de vie ensemble,
ils s'étaient tout dit,
ou presque.
Mais, de temps en temps,
il plaçait tendrement sa main
sur la cuisse de sa femme.
Et elle, elle prenait bien garde
de l'enlever.
À sa manière, il continuait de lui dire:
"Je t'aime toujours,
ma chérie."
Et elle, sur le même ton,
lui répétait:
"Tu es toujours mon meilleur."

Ils cueillaient ensemble
les derniers bonheurs de leur vie
et peut-être leurs meilleurs réconforts.
Et la tendresse,
si douce et si délicate,
ajoutait des couleurs de pastel
à cet amour de crépuscule.
En silence, ils se disaient simplement:
"Comme je suis bien avec toi ! "
Et ils vieillissaient bien ensemble.

Stéphane

Mon fils,
n'aie pas peur...
Si tu crains Dieu,
si tu évites le mal,
si tu fais ce qui plaît
au Seigneur,
tu es déjà riche.

Tobie 4, 21.

Il existe
entre le jeune
et le vieillard
une sorte
de complicité
naturelle
et spontanée.

Lucien Pelletier

Il a dix-huit ans.
C'est un jeune homme
plein de vie et de santé.
Il fait tout avec enthousiasme
et réussit tout à merveille:
champion au karaté et au hockey,
amateur de course à pied et de vélo,
premier de sa division au collège,
grand priant en plus.
Dieu l'a comblé de dons magnifiques;
la vie lui sourit largement.

Doué comme il l'est,
il ne manque pas d'amis,
loin de là,
et plus d'une jeune fille
reluque de son côté.
Comme pour le reste,
l'amitié lui réussit bien.
Il aime sans mesquinerie.
Il a déjà compris
que l'amour consiste bien plus
à donner qu'à recevoir.
Mais ce qui en étonne plus d'un
c'est qu'il a développé,
avec le temps,
une réelle affection pour les personnes âgées.
On ne sait trop
comment cela lui est venu.
Mais, il les aime beaucoup.
Deux fois par semaine,
il se rend au "Secret",
un foyer de vieillards
tout près de chez lui.
Il passe l'après-midi
à les écouter,

à parler et à rire avec eux.
Ils se sont attachés à lui,
eux qui ont quatre ou cinq fois son âge.
Et lui, il apprend d'eux tant de choses:
ils lui communiquent leur sagesse,
leur expérience, leur art de vivre.
Ils lui communiquent surtout
leur affection, leur simplicité,
la douceur de leur regard.
Et lui se trouve bien avec eux,
il les aime.
Il leur arrive parfois
de prier ensemble un peu.
Il a vite compris
que ces personnes,
qui ont déjà un pied dans le vestibule du ciel,
sont puissants auprès de Dieu,
et il n'hésite pas
à recourir à leurs bons services.
Et eux vieillissent tellement mieux
à être écoutés et aimés,
à se sentir utiles pour ce jeune
à qui ils donnent
ce qu'ils ont de meilleur.
Et lui puise à leur source
des trésors de science et de bonté.

Tous s'en portent mieux.
Tous continuent de grandir
en beauté et en grâce.
Et, une fois de plus,
le coeur de Dieu est en fête...

*Il y a un temps
pour naître,
il y a un temps
pour mourir.*

Qohélet 3, 2.

mourir

Une seule chose
est pire
que dire du mal
de la mort
c'est de n'en pas
parler du tout.

Anonyme

Roméo est mort...

*Le juste,
même s'il meurt
jeune,
trouvera le repos...
Devenu parfait
en peu de temps,
il a eu une vie pleine.*

Sagesse 4, 7. 13.

Il n'est jamais facile
de renoncer
à des choses
et à des êtres
qui tiennent
une place importante
dans notre vie.

Paula Ripple

Roméo est mort.
Vingt-neuf ans.
Épileptique.
Il a fait une crise...
Il est tombé et s'est frappé la tête sur le sol...
il ne s'en est pas remis.

Au salon funéraire,
les gens échangeaient leurs réflexions:
"C'est bien jeune pour mourir...
Au fond, il est bien débarrassé...
Il est au ciel: il n'a jamais fait de mal à personne...
Il n'a pas eu sa chance:
pourquoi n'y a-t-il pas plus de justice sur cette terre ?
S'il n'est pas au ciel, lui,
il y en a bien peu qui y seront...
Il est heureux...
Il prie pour nous...
Etc."

Roméo était un jeune homme attachant.
Il était sensible à la moindre attention
que les autres pouvaient lui donner.
Son sourire réconfortait tout le monde.
Il vendait des fleurs au foyer où on le soignait.
C'était la douceur, la tendresse, la bonté mêmes:
il avait appris cela des fleurs et de sa maladie.
Jamais il ne se plaignait;
jamais, il n'a critiqué sont sort:
il l'acceptait comme le lot de sa vie.
Dans la situation qui était la sienne,
il avait développé une sorte de sagesse
qu'il était incapable de nommer
mais qui pouvait bien s'appeler
"espérance" ou "amour".

Autour de sa tombe,
ses amis épileptiques sont venus
pleurer et prier:
il avait tissé avec eux petit à petit
un grand manteau de fraternité,
une toile toute perlée d'amitié et de délicatesse.
C'est un peu comme si Jésus avait pris son visage
peu à peu,
comme s'il avait répandu l'évangile
autour de lui,
comme un parfum subtil et merveilleux !
C'est peut-être cela que son ami André
a voulu exprimer dans une chanson
que nous avons écoutée
comme le plus beau des cantiques:

"Nous ayant aimés de tendresse,
D'amour et de fraternité,
On veut te dire que ça nous blesse
De te savoir pour toujours envolé.
Ton coeur était si rempli de louanges,
Tu cherchais tant à nous rendre heureux
Que nous te voyons parmi les anges
Oui, nous sommes sûrs que tu es dans les cieux.

Adieu, cher Roméo,
Repose bien en paix.
Repose bien là-haut.
Car ton chemin est fait.
Et quand le jour viendra
Où nous serons réunis,
On te sautera dans les bras
En disant: "Nous voici" !

Tu avais tellement de finesse
Envers tous tes frères bien-aimés,
Qu'on ressent une grande tristesse

En cette très malheureuse journée.
Tu étais si joyeux et si sincère
Qu'aujourd'hui on réalise vraiment
Que ce n'est plus pareil sur cette terre,
Que ce ne sera jamais plus comme avant.''

Mourir dans le Seigneur

*Heureux
les morts
qui meurent
dans le Seigneur.*

Apocalypse 14, 13.

En toute vérité,
Dieu nous a créés
pour le bonheur
éternel.

Paula Ripple

Tôt ou tard,
la mort nous attend.
C'est là une réalité inévitable.
De même qu'il y a un premier souffle
dans notre vie,
de même il y en aura un dernier.
Mais pour ceux qui "meurent dans le Seigneur",
la mort n'est pas un drame,
c'est bien plutôt une magnifique chance.

La meilleure façon de "mourir dans le Seigneur",
c'est certainement de "vivre dans le Seigneur".
Imaginez:
si, par exemple, nous vivions chacune des journées
que Dieu nous donne
comme la première d'un grand projet
mais, en même temps,
comme la dernière de notre vie,
oh ! comme ces joürnées seraient bien remplies !
Ah ! sûrement,
nous éviterions toutes espèces de mal
et nous accomplirions toutes espèces de bien.
Notre vie s'écoulerait dans la paix
et elle ne serait qu'une longue et belle préparation
à une mort calme et confiante.

Si, par exemple, nous nous habituions à penser
que chaque jour qui passe
nous rapproche un peu plus
de la rencontre éternelle de Dieu,
nous regarderions notre vie
d'une manière bien positive
et également notre mort.

Si nous considérions chaque maladie
comme un rappel que nous sommes appelés
à être "citoyen des cieux"

avant d'être "citoyen de la terre,
oh ! que cette pensée
raviverait notre espérance
au coeur de nos souffrances !

Et si, à chaque jour,
nous demandions à Dieu
la grâce d'une bonne mort,
nous ferions là,
très certainement,
un bon placement.
Car, à bien y penser,
notre mort sera bien
l'acte le plus important de notre vie.
Et, petit à petit,
nous deviendrons des saints,
dès ici-bas,
rien de moins.
Ce qui est un très bon passeport
pour le ciel.
*"Si nous mourons avec le Seigneur,
nous vivrons aussi avec Lui"* (II Timothée 2, 11).

Je vais mourir...

Pour qui me regarde,
le moment
de ma mort approche.
J'ai combattu
le bon combat,
je suis allé jusqu'au
bout de ma route,
j'ai gardé la foi.
Maintenant,
la couronne
de la victoire m'attend.
Le Seigneur,
en juste juge,
va me la donner...
à moi,
mais aussi
à tous ceux
qui attendent
avec amour
son avènement.

II Timothée 4, 6-8.

La vie
est une bataille
que l'on finit
toujours par perdre.

René Latourelle

Seigneur,
je vais mourir.
La vie se retire peu à peu
de mon corps malade
et la mort, de plus en plus,
étend son empire sur moi.

C'est dur de mourir,
de partir de cette terre.
On a beau dire que notre planète
est une vallée de larmes,
on ne veut pas la quitter.
On l'aime bien.

Quand je regarde ma vie,
j'y vois des ombres et des lumières.
Pour ce que j'ai fait de bien
et pour le bien qu'on m'a fait,
merci, Seigneur.
Pour ce que j'ai fait de mal
et pour le mal qu'on m'a fait,
pardon, Seigneur.

Je m'en vais de plus en plus,
je le sais, je le sens.
Aide-moi
à faire le grand passage,
à faire le grand saut dans l'au-delà.

J'ai hâte de te voir face à face.
Il y a si longtemps
que je te prie,
que je te crois,
que je te désire.

Je sais que tu m'attends
sur le pas de la porte.
Et je vois déjà
la joie sur tes lèvres et dans tes yeux
et l'accueil dans tes bras.

Ma vie n'a pas été parfaite:
comme beaucoup,
j'ai fait le mal,
même quand je ne le voulais pas,
et je n'ai pas fait tout le bien
que j'aurais dû faire.
Mais, quand je fais le bilan de ma vie,
il me semble
que l'amour l'emporte sur la haine,
et que, toujours,
malgré mes trébuchements,
c'est toi que j'ai cherché.
J'ai souvent senti
ta main serrer la mienne
et tes pas accompagner les miens
sur tous mes chemins.
C'est pourquoi,
dans la balance de ma vie,
le plateau du bien est plus lourd
que celui du mal.

Seigneur,
je suis prêt.
Viens.
Je t'aime.

Amen.

La mort du grand érable

*La mort
plutôt que
ma misère !*

Job 7, 15.

Chacun de nous
porte en lui
une blessure.

Jean Vanier

Il était une fois
un grand érable
renommé à plusieurs lieues à la ronde.
Depuis des années,
il était au maximum de son rendement.
À chaque printemps,
il donnait généreusement
de son eau
que les hommes transformaient
en sirop, en sucre, en tire.
À chaque été, les gens profitaient
de son ombre
au milieu des grandes chaleurs.
À chaque automne
il servait à tous
le spectacle magnifique
de son feuillage multicolore.
Et à l'hiver,
son immobilité apparente
de neige et de glace
annonçait l'espérance
que la vie reprendrait bientôt.

Il faisait l'envie et l'admiration
de tous ses voisins.
Les épinettes et les sapins,
dans leurs robes de velours,
auraient bien voulu
être aussi utiles que lui.
Mais, leur sève n'était pas sucrée,
leurs branches étaient toutes gommées,
et leurs feuilles demeuraient vertes toute l'année.
Les bouleaux blancs
n'en revenaient pas de voir

la hauteur de sa belle tête,
eux qui jamais n'atteindraient
une telle stature.

Ils se sentaient
à la fois dominés et protégés
par ce magnifique géant.
Les peupliers et les saules,
qui tremblent à la moindre brise,
se pâmaient
devant ce tronc solide
qui ne bronchait pas
même par grand vent.
Et les petites fougères,
qui poussaient à ses pieds,
l'entouraient complaisamment de leurs doigts feutrés
et lui faisaient la révérence
avec leurs grandes feuilles toutes en courbettes.

Bref, ce grand érable
avait été choyé par la vie:
beau, grand, fort,
productif et généreux,
admiré et adulé de tous.
Il n'avait que des amis
et ne faisait que des amis
autour de lui.
Et tous,
de l'humble trille des bois
au grand tilleul,
considéraient
comme un grand cadeau de la vie
de l'avoir comme voisin et ami.
Et le grand érable
filait le parfait bonheur:
il était aimé,

il était utile,
il était reconnu,
que pouvait-il demander de plus ?
Il ne lui était pas difficile
de faire des sourires à tout le monde,
de serrer des mains nombreuses,
de donner le goût de vivre
à tous ceux qui croisaient sa route.
Il était comblé.
Et il disait merci
à tous ces gens
qui l'honoraient de leur amitié
et même il rendait grâce
à son créateur
de l'avoir fait si riche.
Que la vie était belle et bonne !

Mais, voilà que tout à coup
tout se gâta.
Le printemps arriva
avec son cortège de renouveaux:
les ruisseaux, les bourgeons, les boutons,
les oiseaux, les faons, les écureuils.
Une vie qui éclate,
une nature qui se réveille !
Seul, le grand érable
n'était pas de la fête.
Qu'était-il arrivé ?
Il avait pris de l'âge,
le pauvre:
son coeur, fatigué,
pompait mal la sève
jusqu'à sa haute cime.
Et ses artères usées
s'étaient rétrécies et durcies.
Ce printemps-là,

il ne fit de feuilles
que sur le bas de son panache;
tout le haut de sa tête
resta dénudé,
chauve comme le crâne d'un vieil homme.
Joseph, le propriétaire,
fit venir
le médecin des arbres.
Le diagnostic fut terrible:
troubles cérébro-vasculaires
et thrombose coronarienne.
Alors, Joseph décida
d'accorder un repos bien mérité
à son bon serviteur.
Il ne l'entailla pas.

Mais, le grand érable le prit très mal.
Il sombra dans une profonde dépression.
N'étant pas capable
d'être beau et productif,
il s'imagina
qu'il ne pouvait plus être bon.
Les arbres d'alentour
étaient tout tristes
de le voir si triste.
Mais, il fallait bien vivre.
Petit à petit,
ils s'éloignèrent de lui
pour voir à leurs affaires de tous les jours.
Il se retrouva tout fin seul.
Malade au milieu de gens en santé,
inutile au milieu de gens utiles.
Il aurait voulu n'être
qu'un frêle saule
ou une simple épinette
ou encore une toute petite fougère.

À quoi bon vivre
si l'on ne sert à rien ?
Il décida d'en finir avec la vie.
Il se laissa envahir
par des champignons
qui étouffèrent ses racines,
par des pics-bois
qui lacérèrent son écorce
et par des larves
qui tuèrent ses feuilles.

Il s'en trouva plusieurs
pour louer la noblesse et le courage
de sa mort.
Quand on est grand
même notre mort ne peut être petite !
Parmi ce concert de louanges,
une seule voix discordante se fit entendre:
celle d'une petite épinette
rabougrie, ébréchée,
mal peignée et mal lavée,
qui avait subi
bien des coups de la vie:
les froids de l'hiver,
les bourrasques des tempêtes
et le tracteur de Joseph.
Cette petite épinette
se leva donc
et dit sans vergogne:
"Je ne suis pas d'accord.
Il aurait dû continuer à vivre.
Il n'y a pas que le courage de mourir
il y a aussi le courage de vivre.
La vie est le plus beau cadeau
qui soit.
On n'a pas le droit de la supprimer.

Même si on n'est plus productif,
on peut être encore utile.
Supporter sa souffrance
avec patience et courage,
en restant en paix,
c'est un bel exemple
pour les jeunes
et pour tous ceux qui souffrent.
Le problème de notre frère l'érable,
c'est qu'il n'a pas assez souffert
dans sa vie:
tout lui a été donné tout cuit
dans la bouche.
Il faut apprendre à grandir
quand ça va bien
mais aussi
quand ça va mal.
J'ai dit''.
Et après ce long discours,
la petite épinette
rentra à nouveau
dans l'ombre.

La forêt tout entière
s'était tue pour l'écouter.
On garda une longue minute de silence
en mémoire du disparu
mais aussi pour réfléchir un peu
sur les petits et grands bonheurs
de la vie
et sur les petites et grandes misères
de l'existence.

Le pont

J'espère en toi,
Seigneur.
Je compte sur toi.

Psaume 130, 5.

Si vieux qu'on soit,
on meurt toujours
trop tôt !

René Latourelle

Il était arrivé
au quatrième âge de la vie,
encore solide,
presque vert...
Quand il vous regardait,
ses beaux yeux bleus brillaient
d'intelligence et de finesse.
Il posait sa grande main nouée
sur votre bras.
C'était alors tout l'amour du monde
qui émanait de son coeur.
La vie lui avait donné
non seulement de l'expérience
mais aussi de la sagesse
plein la tête;
pas rien que de la bonté
mais également de la tendresse,
plein le coeur.

Un soir
que nous discutions ensemble
de choses et d'autres,
il me dit comme cela,
très sereinement:
"Tu sais.
j'ai beaucoup pensé
à la mort
ces derniers temps.
Pour moi, c'est comme un pont
que tu traverses
d'une vie à l'autre.
Et de l'autre côté,
il y a le Seigneur
qui t'attend,
qui t'ouvre les bras.
À l'heure qu'il est maintenant,

je m'approche du pont
tranquillement".
Puis, il s'arrêta de parler.
Il bourra sa pipe
et se mit à tirer
de grandes bouffées de tabac.

Quelques semaines plus tard,
j'appris qu'il avait décliné beaucoup.
J'allais lui rendre une petite visite
un soir de grande chaleur.
Il était au lit,
incapable même de s'asseoir.
De fait,
il avait beaucoup vieilli:
la vie se retirait
peu à peu
de ce beau géant.
Mais, son oeil
était encore clair et brillant.
Il me fit signe de m'approcher.
Il saisit ma main
et il me dit
moitié sérieux, moitié ricaneur:
"Tu te souviens,
l'autre jour,
je t'ai dit
que je m'approchais du pont.
Et bien,
je ne serais pas surpris d'être dessus
à l'heure qu'il est..."
Il prit une profonde respiration
et continua
en me regardant dans les yeux:
"Et puis,
tu comprends,

ce pont-là,
je ne sais pas
quelle longueur il a !
Même si le Seigneur est de l'autre côté
c'est la première fois
que je vais mourir,
moi aussi."
Il serra légèrement
ma main,
puis il baissa les yeux.

"Tu comprends..."
Je ne sais pas si j'ai compris.
Mais, ce soir-là,
je me suis engagé
à l'accompagner
durant toute la traversée...

Et après... ?

Si nous espérons
en Jésus-Christ
uniquement
en cette vie terrestre,
alors
nous sommes
les plus à plaindre
de tous les hommes.

I Corinthiens 15, 19.

Toute
cette expérience de vie,
toutes ces joies
et toutes ces peines,
ont nécessairement
un couronnement
dans l'autre vie.

Lucien Pelletier

Nous mourrons tous un jour.
C'est sûr.
Et pourtant,
il y a en nous un souffle de vie
qui ne veut pas s'éteindre.
Nous sommes faits pour vivre
et pour vivre toujours.

Et de fait,
s'il y a une mort physique,
une mort de notre corps,
notre être entier, lui, ne meurt pas.
La vie n'est pas supprimée,
elle est transformée.
À vrai dire,
nous ne partons pas,
nous arrivons
à la demeure du Père.
Notre vie ici-bas s'achève
mais notre vie éternelle se continue.

Ceux qui meurent dans la foi
ne meurent pas vraiment.
Ils savent qu'il y a un au-delà,
que rien n'est fini,
que tout commence.
Et ils vivent ici-bas
comme des voyageurs
en route vers la patrie définitive.
Ils sont pleins d'espérance.
Et ils avancent
sur les routes de la terre,
qu'elles soient brumeuses ou ensoleillées,
avec l'assurance
des gens qui savent où ils s'en vont.
Ils trébuchent parfois

mais ils se relèvent avec courage.
Ils reçoivent de temps en temps des "jambettes"
mais rien ne les arrête.
Ils savent qu'au bout du chemin
le Seigneur les attend,
les bras ouverts.
Et de savoir cela
leur remplit le coeur de joie
et met de la lumière dans leurs yeux.

Ah ! qu'ils sont heureux,
qu'ils sont chanceux
ces aventuriers de Dieu,
ces croyants de l'Éternel,
ces espérants de l'après-vie.

Donne-leur le repos éternel

*Nous les croyants,
nous entrons
dans le repos.*
Hébreux 4, 3.

Mourir,
c'est se confier
au Père.

Guido Davanzo

Seigneur,
tant de gens quittent cette terre
à chaque jour,
à chaque année.

Des gens
qui ont fait de leur vie
une belle préparation au ciel,
mais des gens aussi
qui n'ont pas eu la chance
de te découvrir, de t'aimer, de te désirer.

Des gens
qui ont vécu comme des saints ici-bas,
mais des gens aussi
qui ont fait du mal en quantité.

Des gens
qui ont servi et aimé
leurs frères et soeurs de la terre,
mais des gens aussi
qui se sont servi des autres
pour les exploiter, les écraser, les haïr.

Je te les présente tous,
ce soir,
dans ma prière.
Accorde aux premiers
la joie de te voir face à face
dans un joyeux coeur-à-coeur.
Et accorde aux derniers
la grâce du repentir
et de la purification
pour qu'eux aussi te rencontrent
dans l'émerveillement de ta présence.

À tous,
donne le repos éternel.
Amen.

La cité
que nous avons
ici-bas
n'est pas définitive.
Nous attendons
la cité future.

Hébreux 13, 14.

vivre éternellement

Dieu n'a pas fait
l'homme
pour la mort
mais
pour l'immortalité.

René Latourelle

Imagine...

*L'ange me montra
la Cité sainte...
Elle était belle,
comme une mariée
parée
pour son époux...
Elle resplendissait
comme une pierre
précieuse,
comme du jaspe
cristallin...
Elle était faite
d'or fin
comme du verre
très pur...
Elle n'avait pas
besoin
de l'éclat du soleil
et de la lune:
la gloire de Dieu
l'illuminait
et le Seigneur lui
servait de lumière.*

Apocalypse 21.

Aux disciples
du Christ,
est promis
un avenir tellement
riche
qu'aucune
représentation
présente
ne peut l'épuiser.

Sandro Spinsanti

Imagine...
Imagine
ce qu'il y a de plus beau:
des couleurs de soleil magnifiques,
des diamants fabuleux,
des fleurs de rêves,
ou bien
des chatons tout neufs,
des faons gracieux,
des pur-sangs rapides,
ou encore
une symphonie de Schubert,
un tableau de Renoir,
une chanson de Mouskouri,
ou mieux
des yeux d'enfants,
des sourires de fiancés,
des visages de jeunes ou de vieillards...
Imagine et imagine encore:
remplis-toi l'oeil et l'oreille.
Regarde, écoute !
Comme c'est beau !
Et bien,
tout cela n'est rien
à côté de ce que tu verras et entendras
en paradis.

Imagine...
Imagine ce qu'il y a de meilleur:
du miel très doux,
le parfum du muguet,
la brise du soir,
ou bien
un bon repas de famille,
un voyage de repos,
une randonnée en montagne

ou encore
un cadeau vraiment agréable,
des retrouvailles longtemps souhaitées,
une découverte scientifique importante
ou mieux
un tête-à-tête avec une personne aimée,
une poignée de main chaleureuse,
un baiser d'amitié ou d'amour...
Imagine et imagine encore:
remplis-toi les sens et le coeur.
Ferme les yeux et contemple !
Comme c'est beau !
Et bien, tout cela n'est qu'un pâle reflet
de ce qui t'attend
au ciel.

Imagine...
Imagine ce qu'il y a de plus grand:
des exploits extraordinaires,
des performances inusitées,
des prouesses sensationnelles,
ou bien
des hommes et des femmes célèbres,
des vedettes adulées et aimées,
des bienfaiteurs de l'humanité,
ou encore
des champions du dépassement,
des personnes données totalement,
des modèles à imiter sans condition,
ou mieux
des super-héros,
des super-grands,
des super-saints.
Imagine et imagine encore:
remplis-toi l'esprit.
Va jusqu'au bout de ta pensée

et même plus loin.
Comme c'est grand !
Et bien,
toutes ces grandeurs sont bien petites
à côté de ce que le Seigneur te réserve
en sa demeure.

Imagine
toutes les beautés et bontés,
toutes les grandeurs,
toutes les amours...
Additionne-les,
multiplie-les,
gonfle-les...
Mets-en encore et encore...
Tu n'arriveras pas
à te faire même une petite idée
de ce que c'est
que vivre éternellement.
C'est encore mieux,
beaucoup mieux,
infiniment mieux
que tout cela.

Sur la terre,
nous voyons ces traces de Dieu:
tout ce qui est beau, bon, grand...
Mais, au ciel,
nous verrons Dieu lui-même.
Nous verrons

la beauté, la bonté, la grandeur, l'amour,
en personne.

Nous n'en reviendrons pas
— dans tous les sens du mot —.
Il nous faudra
rien de moins
que toute l'éternité
pour savourer et contempler
ce Dieu merveilleux,
passionnant
et aimant...

Aujourd'hui,
nous voyons
dans un miroir,
d'une manière
confuse.
Mais alors,
ce sera face à face.

I Corinthiens 13, 12.

Avoir la vie éternelle

*Il y a
de nombreuses
demeures
dans la maison
de mon Père...
Je m'en vais
vous préparer
une place.*

Jean 14, 2.

La question décisive,
c'est:
es-tu relié à l'infini
on non ?

C. Jung

Au légiste
qui lui demandait
quoi faire pour avoir la vie éternelle,
Jésus répondait:
"Aime,
aime ton Dieu,
aime ton prochain,
aime-toi" (Luc 10, 25 s.).

Aux pharisiens,
observateurs parfaits de la loi,
Jésus disait:
"Vous entrerez dans le Royaume,
soit,
mais seulement après les prostituées" (Matthieu 21, 31).
Du coup
ils avalaient leur salive
et leur gorgotton !

À ses disciples
qui discutaient avec lui
de la fin du monde
et de l'avènement du Royaume,
le Seigneur enseignait
que ceux qui entreraient
dans le bonheur éternel
seraient ceux qui auraient pratiqué la miséricorde
et qui l'auraient reconnu dans le pauvre.
"J'avais faim,
et vous m'avez donné à manger...
J'étais malade, prisonnier,
et vous êtes venus me voir..." (Matthieu 25, 31 s.)

Aux juifs,
le Seigneur rappelait
que celui qui écouterait sa Parole

et qui croirait au Père qui l'avait envoyé
avait déjà la vie éternelle en lui;
il était déjà passé de la mort à la vie (Jean 5, 24).

Et il ajoutait:
"Qui mange ma chair
et boit mon sang
a la vie éternelle.
Il ne disait pas:
"aura" la vie éternelle;
il disait *"a"* la vie éternelle (Jean 6, 54).

Veux-tu
vivre éternellement ?
Tout de suite,
pas seulement après la mort ?
Aime ton Dieu,
et ton prochain,
surtout le plus faible.
Pratique un bon amour de toi-même.
Ne joue pas au pharisien
parfait et orgueilleux,
qui tire son salut
de lui et de ses oeuvres
et non d'abord de Dieu.
Médite la Parole de Dieu
et mets-la en pratique.
Et participe à l'eucharistie.

Alors,
ta vie éternelle,
ta vraie vie,
est déjà commencée.

La mort de...

Notre vraie demeure
se trouve au ciel
d'où nous attendons
le Seigneur Jésus
Christ,
comme sauveur.
C'est lui
qui transfigurera
notre pauvre corps
de misère
pour le rendre
semblable
à son corps de gloire.

Philippiens 3, 20-21.

La vie
a le sens
que nous donnons
à la mort.

René Latourelle

337

Ce matin-là,
il partit pour la montagne...
après avoir dit bonjour
à son père et à sa mère,
à son petit frère et à sa grande soeur.
Il n'emporta pas de provisions:
rien qu'une feuille de papier et un crayon.
Il partit seul,
le pas lent,
le regard un peu triste.

Pendant deux jours,
il marcha dans les sentiers des bois.
Il y retrouva tout ce qu'il aimait:
la simplicité des trilles et des verges d'or,
la grâce des fougères,
le goût léger du thé des bois,
le chant des oiseaux,
la course des écureuils,
la fraîcheur du ruisseau
et la chanson du vent dans les grands arbres.
Pendant deux nuits,
il dormit à la pleine lune,
sous un ciel criblé d'étoiles.
Il pouvait goûter le vrai repos:
ou aurait dit que la nature s'était tue
pour ne pas troubler son sommeil.
Un silence plein de complicité amicale
l'enveloppait comme d'un manteau.

Et puis,
le matin du troisième jour,
il s'adossa à un grand rocher,
face au soleil levant,
juste au pied du lac...

On le retrouva
le lendemain...
les yeux grands ouverts,
pleins de lumière,
la bouche perlée d'un sourire
si doux, si doux,
et la figure très calme,
baignée de sérénité.
On aurait dit qu'il dormait,
qu'il faisait un bien beau rêve.
Comme il était beau !
Comme il était grand !
On l'aurait cru en extase...

On trouva un crayon à ses pieds
et dans sa main droite une boule de papier.
Et l'on pouvait y lire:
"Adieu papa, adieu maman,
adieu petit frère bien-aimé,
adieu grande soeur adorée.
Je suis allé retrouver la Vie.
Je ne pouvais plus supporter
ce monde ambitieux, égoïste et hypocrite.
Je n'étais bien qu'ici,
dans la montagne,
en harmonie avec la nature,
à écouter la musique du silence des bois.
Il ne m'était plus possible
de voir l'oeuvre de mon créateur
se faire polluer ainsi.
Chaque jour en ce monde
me déchirait un peu plus.
Tandis que le silence me rapprochait tellement
de Lui.

Je vous aime tous...
ne vous attristez pas.
Je suis avec vous pour toujours.
J'avais soif de Le voir face à face.
Alors, j'ai fait mon pèlerinage,
dans le sanctuaire de ses animaux,
dans la cathédrale de ses grands arbres,
dans l'oratoire de ses astres.
J'étais si près de Lui,
je sentais si vivement ses vibrations me pénétrer...
Je suis heureux et en paix...
Je vous aimerai toujours.
Je serai toujours votre fils reconnaissant
et votre frère aimant.

Adieu ! ''

La vraie vie

La légère tribulation
du moment
n'est rien
en comparaison
de la gloire
que le Seigneur
nous a préparée.

II Corinthiens 4, 17.

Regardez
la vie
que je commence
et non
celle que je finis.

Saint Augustin

341

Il m'a dit:
"J'ai peur de la mort.
Je ne veux pas mourir.
J'aime bien trop la vie
pour la perdre."

Il n'a que vingt-cinq ans.

Je lui ai dit:
"Mais, tu sais bien
que la mort n'est qu'un passage.
Ensuite, tu te retrouveras
dans la vraie vie
qui ne finit plus."

Il m'a dit: "Ma vie actuelle,
je la possède,
je la touche,
je l'ai bien en mains.
Mais, l'autre ?
Je ne la vois pas,
je ne la connais pas.
Alors, tu comprends."

Je lui ai dit:
"Oui, je comprends.
Mais, un jour,
que tu le veuilles ou non,
tu quitteras ta vie présente."

Il a repris:
"Je voudrais avoir ta foi
pour m'avancer
dans ma vie actuelle
jusqu'à l'autre vie.
Ce qui m'intéresse,

vois-tu,
c'est de vivre,
vivre toujours, à plein, jusqu'au bout ! "

J'ai repris:
"Moi aussi, tu sais,
j'aime bien cette terre,
et, de savoir que je vais mourir un jour
ne me plaît pas plus que cela.
C'est l'après-mort
qui m'intéresse.
Crois-moi,
nous sommes faits pour vivre,
pour vivre éternellement.
Et, de savoir
qu'un jour je verrai Dieu en face,
que je partagerai son amour
me fait endurer bien des souffrances ici-bas
et me prépare au grand saut de la mort."

Il m'a dit:
"Ouais, tout cela est bien beau.
Mais, je ne suis pas pressé de mourir."

Je lui ai dit:
"Moi, non plus.
Mais, c'est à chaque jour
que je meurs, au fond.
Et, aussi curieux que cela paraisse,
c'est aussi à chaque jour
que je vis davantage."

Il m'a dit:
"Je vais y réfléchir ! "

La caravane céleste

Je vis une foule
immense,
impossible
à compter.
Des gens
de toutes nations,
de toutes races,
de tous peuples
et de toutes langues.
Ils portaient
des robes blanches
et avaient
des palmes à la main.
Ils étaient debout
devant le Seigneur
et ils chantaient
d'une voix puissante:
"Salut
à notre Dieu ! "

Apocalypse 7.

La vie éternelle
sera une fantastique
kermesse
aux amitiés.

André Sève

Le Seigneur
les avaient tous invités à sa table,
à son banquet de noces.
Il leur avait dit:
"Venez, tout est prêt ! "
Car, c'est avec eux tous
qu'il avait décidé
de se fiancer,
de se marier.
Et aujourd'hui
et pour toujours,
pour les siècles des siècles,
il les épousait.

Et ils entraient,
nombreux,
par la grande porte
de la salle de noces.
Et le Seigneur,
par on ne sait quel miracle d'amour,
les saluait tous.
Il donnait la main à chacun,
les appelait par leur propre nom,
les embrassait chaleureusement,
comme s'ils se connaissaient
depuis longtemps.

Il y avait tellement d'invités
qu'ils n'en finissaient pas d'entrer.
Des milliers de millions,
de toutes les couleurs,
de toutes les grandeurs,
de tous les temps
et de tous les horizons.
Et il y avait de la place
pour tout ce monde.

Personne ne se bousculait.
C'était l'harmonie la plus parfaite.
On aurait dit
qu'ils s'étaient toujours aimés.
Mais, tous n'avaient d'yeux
que pour le Seigneur
qu'ils ne cessaient de contempler.

Dans cette immense caravane céleste,
on reconnaissait les saints "officiels",
canonisés, catalogués, codifiés,
ceux qui avaient suscité,
même sur la terre,
l'admiration de tous,
et que l'Église,
dans sa sollicitude maternelle,
avait portés sur ses autels.
Il y avait
ceux qui avaient brillé sur terre
par leur pureté, leur beauté virginale,
leur vertu restée intacte:
Jean Berchmans, Louis de Gonzague,
Dominique Savio, la petite Thérèse...
Il y avait aussi
ceux qui étaient devenus beaux,
ceux qui, après un temps de ténèbres,
étaient venus à la lumière:
François d'Assise, Augustin,
Charles de Foucauld...
Puis, il y avait les très grands,
ceux qui avaient porté la Parole
aux quatre coins du monde:
les apôtres, les Pierre, les Paul, les Jean,
les Jacques, les François Xavier,
les Thomas d'Aquin, les Chrysostome, les Jérôme,...
et puis ceux qui avaient aimé

les pauvres et les pécheurs,
ceux qui avaient pratiqué la miséricorde:
les curés d'Ars, les Vincent de Paul,
les Pierre Claver, les Marguerite d'Youville,
les Mères Teresa, les Jean Bosco...
Il y avait encore les mystiques,
ces passionnés de Dieu,
qui avaient voué leur vie à le contempler
et à le faire contempler:
les Bernard, les Benoît, les Thérèse d'Avila,
les Jean de la Croix, les Catherine de Sienne,
les François de Sales, les Marie de l'Incarnation...
Il y avait enfin les grands témoins,
ceux qui avaient versé leur sang
pour le Seigneur:
les martyrs aussi beaux
que Jean Baptiste, Ignace, Jean de Brébeuf,
Agathe, Cécile, Anastasie, Cyprien,
Maximilien Kolbe, Roméro...
Qu'ils étaient beaux,
qu'ils étaient grands,
qu'ils étaient magnifiques,
ces saints officiels !
Ils recevaient la récompense
promise aux fidèles serviteurs,
récompense que déjà sur terre
l'Église avait reconnue.

Mais, ils n'étaient pas les seuls
à entrer aux noces
et à s'asseoir à la table du banquet.
Le Seigneur en avait invités
beaucoup d'autres,
moins connus,
moins reconnus,
mais tout aussi beaux,

tout aussi grands
que les premiers.
Ils entraient eux aussi
par la grande porte
et le Seigneur les accueillait
avec la même joie.
Il y avait parmi eux
des pères et des mères de famille,
qui n'avaient jamais fait la manchette des journaux
mais qui avaient élevé et aimé leurs enfants
du mieux qu'ils avaient pu.
Au milieu d'eux
se mêlaient des pasteurs,
qui avaient enseigné l'évangile
à leurs brebis,
qui l'avaient pratiqué
en faisant leur possible,
et qui s'étaient morfondus
à courir après les brebis égarées.

Et puis,
Le Seigneur serrait encore des mains,
des mains de militants syndicaux,
de marcheurs de la paix,
de protecteurs de l'environnement,
de dénonciateurs de régimes totalitaires,
de lutteurs anti-nucléaires...
Tous ces gens souriaient au Seigneur,
eux qui n'avaient pas craint
de s'exposer à l'égoïsme humain
pour défendre la vie, la justice et la paix.
Ils recevaient aujourd'hui
leur récompense.
Mais, il en entrait encore et encore.
C'étaient maintenant les "innocents"
qui prenaient place autour de la table.

Pas seulement ceux qu'Hérode avait fait tuer
mais aussi tous ces petits
qui n'avaient pu recevoir le baptême
et tout spécialement toutes ces victimes
que des Hérodes modernes avaient tuées
dans le sein de leur mère
ou que des dictateurs avaient assassinés en bas âge.
Le Seigneur, dans sa bonté,
ne pouvait les laisser à la porte.

Et derrière ces petits enfants,
arrivaient ceux qui avaient passé leur vie
à essayer d'être bons
sans jamais réussir parfaitement:
les ivrognes et les alcooliques,
les drogués perpétuels,
les emprisonnés du sexe,
les habitués du crime,
tous ces grands blessés de la vie,
tous ces "échardés" dans leur chair,
qui auraient tant voulu
avoir l'équilibre d'une Thérèse d'Avila,
ou la maîtrise d'un Ignace de Loyola
ou la beauté d'un Dominique.
Ils entraient à pleine porte
ces éclopés
qui n'étaient jamais restés par terre
mais s'étaent toujours relevés,
attestant que leur Dieu
était le Dieu des perpétuels recommencements
et le Dieu qui pardonne de bon gré
celui qui revient sans cesse à Lui.
Oui, ils étaient là ces gens
qui souvent avaient passé
pour laids aux yeux des hommes
et à leurs propres yeux

mais qui étaient beaux
aux yeux de Dieu.

Et la filée n'en finissait plus.
Arrivaient maintenant des gens
de toutes conditions:
des religieux et des religieuses,
des prostituées et des divorcées,
des jeunes et des vieillards,
des prisonniers et des clochards,
et beaucoup d'autres
mais qui avaient tous en commun
une même qualité:
ils avaient reconnu le Seigneur
dans le faible, le pauvre, le miséreux
et ils lui avaient donné
à boire et à manger,
ils l'avaient habillé ou logé ou visité.
Et le Seigneur donnait
rien de moins que le ciel
à tous ces samaritains merveilleux,
tant il est vrai
qu'il ne peut rester insensible
à ceux qui pratiquent la miséricorde.
Il en entrait toujours,
tant et tant d'autres
qui avaient donné leur vie au Seigneur,
qui avaient tout misé sur lui,
et qui recevaient aujourd'hui
la récompense promise aux justes serviteurs.

Puis, le Seigneur s'assit
au milieu de ses myriades d'amis,
juste à côté de sa mère Marie,
avec son Père et l'Esprit très saint.
Et tous célébrèrent les noces:

des lumières
comme on n'en avait jamais vues,
des musiques
comme on n'en avait jamais entendues,
des amours
comme on n'en avait jamais vécues,
sans effort, sans lassitude,
sans fin, sans limites aucunes.
Ah ! qu'on était bien !
Le temps n'existait plus,
on était dans l'éternité !
On était au ciel !

Dieu avec nous
et nous avec Dieu,
dans l'amour
le plus total,
le plus parfait !

Alleluia ! Alleluia ! Alleluia !

TABLE DES MATIÈRES

VIVRE ÉTERNELLEMENT

ACHEVÉ D'IMPRIMER
PAR LES ÉDITIONS LE RENOUVEAU INC.
À CHARLESBOURG
LE DIX-NEUF MARS
MIL NEUF CENT QUATRE-VINGT-QUATRE